TOMOS O ENLLI

TOMOS THE ISLANDMAN

Tomos o Enlli

Jennie Jones

gyda dyluniadau
Kim Atkinson

Tomos the Islandman

Jennie Jones

*(Translated from Welsh into English
by Gwen Robson)*

with illustrations by
Kim Atkinson

Argraffiad cyntaf: 1964
Argraffiad newydd: 1999
Trydydd argraffiad: Mawrth 2009

Rhoddir cyfran o werthiant y gyfrol hon
i gronfa Ymddiriedolaeth Ynys Enlli Cyf.

Rhif Llyfr Safonol Rhyngwladol:
0-86381-565-0

Lluniau clawr a thu mewn: Kim Atkinson

Argraffwyd a chyhoeddwyd gan Wasg Carreg Gwalch,
12 Iard yr Orsaf, Llanrwst, LL26 0EH.
☎ 01492 642031   🖷 01492 641502
E-bost: llyfrau@carreg-gwalch.co.uk
Lle ar y we: www.carreg-gwalch.co.uk

First edition in Welsh: 1964
New edition: 1999
Third edition: March 2009

A percentage of the sales of this book
will be donated to The Bardsey Island Trust Ltd.

ISBN: 0-86381-565-0

Cover and inside illustrations: Kim Atkinson

Printed and published by Gwasg Carreg Gwalch,
12 Iard yr Orsaf, Llanrwst, LL26 0EH.
☎ 01492 642031   🖷 01492 641502
e-mail: books@carreg-gwalch.co.uk
Website: www.carreg-gwalch.co.uk

Cyflwyniad

Braint fawr i mi yw cael ysgrifennu cyflwyniad i'r argraffiad newydd hwn o *Tomos o Enlli*. Cofiaf ddotio at y gyfrol pan ddaeth o'r wasg gyntaf, ac er bod bron i ddeugain mlynedd ers hynny, pery ei swyn yr un.

Hen ŵr sydd yma yn adrodd hanes ei fywyd ar Enlli ym mlynyddoedd olaf y bedwaredd ganrif ar bymtheg a dechrau'r ugeinfed ganrif. Bu i'm hynafiaid innau fyw ar yr ynys gydol y bedwaredd ganrif ar bymtheg ac yn naturiol felly, mae'r gyfrol o ddiddordeb arbennig i mi. Fe ddaethant hwy i'r Tir Mawr ychydig flynyddoedd cyn y Rhyfel Byd Cyntaf a hynny, yn ôl y stori, am i Dewyrth William ddigio efo'r ynys oherwydd iddo golli'i fam trwy fethu cael doctor ati mewn pryd. (Ffaith nad ystyriwyd mohoni oedd fod yr hen wraig ymhell dros ei phedwar ugain!)

Ers pan oeddwn yn ifanc iawn, clywais innau, gan wahanol aelodau o'r teulu, lawer o straeon am drigolion yr ynys a'u hynodion. Dyna'r tri oedd yn byw yn Cristin – Harri, Mari a Wil – yr un ohonynt wedi priodi. Bu Mari ar yr ynys, yn ôl y sôn, am chwe mlynedd ar hugain heb

Introduction

I feel greatly honoured to be writing the introduction to this new edition of *Tomos o Enlli*. I remember being spellbound by the book when it was first printed, and although almost forty years have passed since then, its spell lingers still.

Here is an old man relating the story of his life on Enlli in the closing years of the nineteenth century and the beginning of the twentieth century. My own ancestors also lived on the island throughout the nineteenth century, and naturally the book is of considerable interest to me. They came to the mainland a few years before the First World War because, according to the story, Uncle William became disillusioned with the island when his mother died before the doctor could get to her. (A fact that was greatly overlooked was that the old lady was well into her eighties at the time of her death!)

When I was very young, I also heard, from different members of the family, many stories about the inhabitants of the island and their peculiarities. There were the three who lived in Cristin – Harri, Mari and Wil – all unmarried. It is said that Mari was on the island for twenty-six years without once setting foot on the mainland. When Harri died, Mari's complaint was that he died after eating an egg for breakfast and having a clean shirt to wear that morning. Understanding her reasoning could be dangerous territory, but it is fair to think that an egg for breakfast and a clean shirt was some treat. Her brother Wil's reasoning when Mari herself

unwaith roi ei throed ar y Tir Mawr. Pan fu farw Harri, cŵyn Mari oedd ei fod wedi marw 'a fynta wedi cael wy i frecwast a chrys glân yn y bore'. Mae deall ei rhesymeg yn fater dyrys, ond mae'n deg meddwl fod cael wy i frecwast a chrys glân yn dipyn o drît. Mae rhesymeg ei brawd, Wil, pan aeth Mari ei hun yn wael, yn ddiguro. 'Doctor,' meddai, 'Oes gennych chi rywbeth i Mari? Cofiwch, dydw i ddim isio rhoi costa mawr arni; mae hi wedi mynd i dipyn o oed.'

Brenin olaf yr ynys oedd Love Pritchard. Dywedir iddo fynd i Eisteddfod Genedlaethol Pwllheli, 1925 ac i Lloyd George roi croeso iddo fel un o'r Cymry Alltud, gan dynnu bonllef o gymeradwyaeth o'r dorf. Dro arall aeth i Lerpwl, a phan ofynnodd rhyw wetres iddo 'What will you have love?' trodd Love at ei ffrind a dweud yn falch, 'Diaist i, maen nhw'n fy nabod i yn fa'ma hefyd w'ldi'.

I'n byd soffistigedig ni, roedd hen drigolion yr ynys yn bobl ddiniwed, ac mae'n debyg mai felly yr ystyriai pobl y Tir Mawr hwy ers talwm hefyd; eto, ychydig iawn ohonom ni fyddai'n para mis yn byw fel nhw, yn y caledi a'r unigrwydd. Roedd angen penderfyniad a gwytnwch i hynny. Dau fistar oedd ar bobl Enlli medden nhw: y naill oedd perchennog yr ynys, yr Arglwydd Newborough, a'r llall oedd angau.

Yn ei atgofion, nid yw Tomos o Enlli yn gorliwio caledi'r bywyd. Cofio wna y troeon trwstan a'r hwyl o fynd i dai y naill a'r llall i ddweud straeon. Difyr hefyd yw ei iaith wrth ddisgrifio'r gymdeithas; iaith seml ond un gyfoethog sy'n cyfleu i ni naws y bywyd hwnnw. Wrth roi'r cyfan ar bapur, llwyddodd Jennie Jones i gadw'n driw at arddull y sgwrsiwr. Diolch iddi am ei

became ill is unbeatable. 'Doctor,' he said, 'Have you anything for Mari? Remember, I don't want to spend too much on her; she's become quite old.'

The last king of the island was Love Pritchard. It is said that he went to the National Eisteddfod in Pwllheli in 1925, and that Lloyd George welcomed him as one of the Exiled Welsh, drawing an enormous cheer from the audience. Another time he went to Liverpool, and when a waitress asked him, 'What will you have love?' Love proudly turned to his friend and said, '*Diaist i*, they recognize me here as well'.

To our sophisticated world, the old inhabitants of the island were naïve and simple, and it is likely that the people of the mainland thought the same of them in the old days; yet, few of us would last a month living as they did with the hardship and isolation. Determination and tough endurance was needed for that. They said that the people of Enlli only had two masters: one was the owner of the island, Lord

llafur amhrisiadwy. Roedd hi'n bryd hefyd i rhywun gyflwyno argraffiad newydd i ni. Diolch i Wasg Carreg Gwalch am y gymwynas honno.

John Rees Jones,
Porthmadog.

Newborough, and the other was death.

In his memories, Tomos o Enlli does not overstate the hardship of life. He remembers the odd happenings and moments, and the fun of going from house to house relating stories. His language in describing the society is also interesting; it is a simple language that richly describes the life he led. While putting it all on paper, Jennie Jones succeeded in being true to the nuances of the speaker. She is to be greatly thanked for her priceless endeavour. It was time somebody presented us with a new edition. The praise for that favour must go to Gwasg Carreg Gwalch.

John Rees Jones,
Porthmadog.

Jennie Jones

Treuliodd Jennie Jones ei bywyd yn Nhŷ'r Ysgol, Llangwnnadl. Yn eneth ifanc hardd gyda phersonoliaeth fywiog a merch ieuengaf y prifathro a'r bardd ap Morus, blodeuodd yn ifanc ym myd adloniant. Cofir amdani o hyd ym Mhen Llŷn oherwydd ei llais da a'i dawn wrth ganu'r piano: mae ei chefnder, Gruffydd Parry, yn dwyn i gof iddi ystyried gyrfa ar y llwyfan yn ei dyddiau cynnar. Serch hynny, bodlonodd ar fod yn ddisgybl-athrawes yn ysgol ei thad, a thrwy hynny manteisiodd cenedlaethau o blantos ar ei doniau creadigol a'i hoffter o sbort. Roedd bob amser yn egni effro yn ei bro – byddai'n cynnal dosbarthiadau nos plethu basgedi a chrefftau eraill yn ogystal â chymryd rhan mewn cyngherddau ac eisteddfodau. Yn y tridegau a'r pedwardegau daeth i'r amlwg fel awdur plant gan gyhoeddi nifer o lyfrau, yn cynnwys y stori strip-gomig boblogaidd *Porci*, a chasgliad o gerddi a hwiangerddi.

Ar ôl ymddeol o fyd addysg, priododd ŵr gweddw – y doctor Robert Jones, Botwnnog a byddai 'Jennie Doctor' i'w gweld yn aml yn cadw cwmni iddo ar ei rownd. Tra byddai ef yn archwilio'r cleifion, byddai hithau'n mwynhau galw heibio'i chyfeillion a sgwrsio â thrigolion y pentrefi a'r ffermydd. Mae'n rhaid ei bod yn wrandawraig astud: roedd i Twm Plasffordd air o fod yn 'dipyn o gymêr', yn benstiff ac yn gynnil iawn ei eiriau. Dim ond amynedd a diddordeb gwirioneddol ynddo ef a'r hen ddyddiau ar yr ynys fyddai wedi sicrhau ei ymddiriedaeth. Drwy gyfrwng ei nodiadau ac ymweliadau niferus, llwyddodd i greu cofnod unigryw a theyrnged

Jennie Jones

Jennie Jones lived at Tŷ'r Ysgol, Llangwnnadl all her life. A pretty girl with a lively personality, the youngest daughter of schoolmaster and poet ap Morus, her first talent was for entertaining. She is still remembered in Pen Llŷn for her singing voice and skill at the piano: her cousin Gruffydd Parry recalls that she had early hopes of a stage career. She settled for becoming a student teacher at her father's school, so that generations of infants benefited from her creative talents and sense of fun. Always an active force in the community, she gave lessons in basket-weaving and other crafts at evening classes as well as taking part in concerts and eisteddfodau. In the thirties and forties she became known as a children's writer, publishing several books including the popular comic-strip story *Porci* and a collection of poems and nursery rhymes.

Retiring from teaching, she married widower Dr Robert Jones of Botwnnog and as 'Jennie

gynnes nid yn unig i ŵr arbennig ond hefyd i ffordd gyfan o fyw a gollwyd.

(Rwy'n ddyledus i Gruffydd Parry, Bryncroes ac i Robin a Iona Williams, Uwchmynydd, yn ogystal â nifer o gymdogion, am yr wybodaeth am Jennie Jones.)

Gwen Robson

Mae cysylltiad Gwen ag Enlli yn dyddio'n ôl i ymweliadau plentyndod pan fyddai ei theulu – y tri brawd Davies nodedig a'u gwragedd a'u plant – yn aros yn Carreg gydag Ifan a Nell Williams. Oherwydd hynny, gallai hithau gofio cymuned debyg i'r un a ddisgrifir gan Tomos Jones – saith neu wyth teulu, gweinidog a phrifathro yn byw ar yr ynys, ceffylau gwaith a'r cychod modur cyntaf, caeau bach yn tyfu ŷd a rhesi taclus o ysgubau.

Priododd David Robson yn 1942 a dychwelodd yno yn gyson gydag ef a'u plant Danny ac Elin, gan dderbyn tenantiaeth Plas Bach yng nghanol y chwedegau a threulio hafau hirion yn gweithio ar y tŷ, torri rhedyn ar y mynydd i gadw Llwybr yr Arglwydd yn agored a chofnodi enwau caeau, oedd yn destun rhyfeddod iddi. Roedd yn ymchwilydd brwdfrydig i hanesion a chwedlau am yr ynys ac yn angerddol am ei harwyddocâd i bobl Cymru. Pan werthwyd hi i aristocrat Seisnig yn 1972, casglodd ddwy fil o enwau ar ddeiseb yn yr Eisteddfod Genedlaethol i ddiogelu hawl tramwy'r cyhoedd ar yr ynys. Roedd hi'n un o'r rhai cyntaf i hyrwyddo'r syniad o Ymddiriedolaeth ac unwaith y lansiwyd yr Apêl,

Doctor' she was often seen accompanying him on his rounds. While he examined patients, she enjoyed visiting friends and chatting to people in the villages and on farms. She must have been a sympathetic listener: Twm Plasffordd was known as 'a real character', strong-minded and not always ready to give much away. It would have taken patience and a genuine interest in him and the old days on the island to win his trust. From her notes of many visits, she created a unique record, an affectionate tribute not only to a special individual but to a whole lost way of life.

(I am indebted to Gruffydd Parry of Bryncroes and to Robin and Iona Williams of Uwchmynydd as well as other neighbours for information about Jennie Jones.)

Gwen Robson

Gwen's association with Enlli *(Bardsey)* went back to childhood visits when her family – the three remarkable Davies brothers and their wives and children – would stay at Carreg with Ifan and Nell Williams. So she could remember a community like that described by Tomos Jones – seven or eight farming families, a minister and a schoolteacher resident on the island, working horses and the first motor boats, fields of cereal crops and neat rows of stooked corn.

She married David Robson in 1942 and with him and their children Danny and Elin returned regularly for holidays, taking on the tenancy of Plas Bach in the mid 60s and spending extended

bu'n ddiflino wrth geisio cefnogaeth iddi yng Nghymru, yn arbennig gan yr eglwys a'i holl enwadau, yn driw i'w dyhead am weld Enlli fel 'lle i fyw ynddo ac i bererindota iddo, nid yn unig yn amgueddfa bywyd gwyllt'.

Mae'n gyd-ddigwyddiad hapus iawn mai Kim Atkinson yw dylunydd y gyfrol hon gan mai i'w mam hi, Mary a theulu'r Atkinson oedd yn amaethu Tŷ Nesaf ar Enlli, y gyrrodd Gwen y cyfieithiad hwn fesul darn wrth iddi ei gyfieithu yn 1966/7 – dau lyfr sgwennu o lawysgrifen gron, daclus a gafodd eu pasio o law i law, eu bodio a'u darllen, yna eu teipio, eu ffotocopïo a'u mwynhau er gwaethaf protestiadau'r cyfieithydd mai carbwl oedd ei hymdrechion. Roedd Gwen ei hun wedi dysgu'r Gymraeg pan oedd yn oedolyn – roedd yn difaru'n chwerw ei bod wedi

summer periods working on the house, cutting bracken on the mountain to keep the Lord's Path open and recording fieldnames, which fascinated her. She was an enthusiastic researcher into legends about the island and passionate about its significance to the people of Wales. When in 1972 it was sold to an English aristocrat, she collected 2000 signatures at the National Eisteddfod to safeguard public access. She was one of the first to promote the idea of purchase by a Trust and once the Appeal was launched was indefatigable in pursuit of support from within Wales, especially the church in all its denominations, concerned always that Enlli should be 'a place to live and a place for pilgrimage, not just a museum for wildlife'.

It is a delightful coincidence that the illustrator of this book should be Kim Atkinson since it was to her mother Mary and the Atkinson family farming at Tŷ Nesaf on Enlli that Gwen Robson sent the translation in instalments as she completed it in 1966/7 – two exercise books of neat, round handwriting that were passed round, borrowed, typed, photocopied and enjoyed despite the translator's diffidence about what she felt were

ei magu pan oedd iaith addysg bron yn gyfangwbl Saesneg – ac roedd yn amheus bod cadw rhai geiriau o'r gwreiddiol (megis 'hodad' a 'pys llwydion') yn lleihau gwerth ei chyfieithiad, ond rwy'n credu bod hyn, yn ogystal â'i dewis o rai geiriau Saesneg tafodieithol yn cyfleu blas y cyfnod a'r llais llafar unigol a gofnodwyd cystal gan Jennie Jones.

Christine Evans,
Uwchmynydd.

Rhagair y gyfrol wreiddiol

Cefais yr hanes yma ar dafod-leferydd gan Tomos Jones, hen lanc chwech a phedwar ugain oed. Ganed Tomos yn Ynys Enlli ac yno y treuliodd y rhan fwyaf o'i oes.

Dyn bychan, rhadlon, yw, a heli'r môr yn ei lais.

Triga'n awr ar y tir mawr gyda'i gefnder mewn tŷ taclus heb yr un ferch yn agos atynt.

J.J.

clumsinesses. An adult Welsh learner herself –
she regretted bitterly being brought up at a time
when the language of education was almost
exclusively English – Gwen suspected that
retaining words in the original (such as *hodad*
and *pys llwydion*) was not 'proper' translation,
but I feel this and the occasional choice of
archaisms – 'barm' for yeast, 'hobbet' for peck (a
2-gallon measure) – convey a taste of the period
and the individual speaking voice so well
captured by Jennie Jones.

Christine Evans,
Uwchmynydd.

Preface to the original publication

This story was told to me by Tomos Jones, an
eighty-six year old bachelor. Tomos was born on
Ynys Enlli and it was there that he spent most of
his life.

He is a small, gracious man with the salt of
the sea in his voice.

He now lives on the mainland with his
cousin, in a tidy house without a woman near
the place.

J.J.

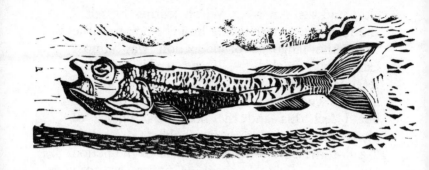

Pennod 1

Ganed fi yn Enlli chwe blynedd a phedwar ugain yn ôl, mewn ffermdy o'r enw Tŷ Newydd neu Tŷ Nesa, y fferm agosaf i Tŷ Bach.

Yr oedd Enlli yn wahanol iawn y pryd hynny i beth yw hi heddiw. Yr adeg honno yr oedd yn byw yno, rhwng pobl a phlant, tua chant a hanner mewn nifer, a'r rheini'n Gymry i gyd. Heddiw, nid oes yno ond rhyw ddau deulu Cymraeg; mae'r gweddill yn Saeson a chymysgfa o bob gwlad.

Yr adeg oeddwn i yn blentyn yno, yr oedd Enlli yn byw ar ei chynnyrch ei hun bron. Dim ond te, siwgr, peilliad, baco, matsys a chwrw oedd yn dod o'r tir mawr.

Duwc annwyl! pe gwelech chwi'r ŷd oedd yn tyfu yno – yr oedd yn plygu i'r ddaear bron, dan bwysau'r grawn.

Yr oeddwn yn dweud bod cwrw yn dod yno. Rhyw hen wraig oedd yn cadw'r dafarn yn ei chegin – ond ychydig iawn a wnâi'r cwrw bara.

Fel y dywedais, fferm oedd fy nghartref, ond yr oedd fy nhad yn ffermwr ac yn bysgotwr 'run fath â'r ffermwyr eraill i gyd.

Chapter 1

I was born on Enlli eighty-six years ago, in a farmhouse called Tŷ Newydd or Tŷ Nesa, the farm nearest to Tŷ Bach.

Enlli was very different at that time from what it is today. At that time there were living there, between adults and children, about a hundred and fifty people, and all of them Welsh. Today, there are only some two Welsh families living there; the remainder are English and a mixture of all countries.

At the time when I was a child there, Enlli practically lived on its own produce. Only tea, sugar, wheat flour, tobacco, matches and beer came from the mainland.

Duwc annwyl! if you could only see the corn that grew there – it was bent almost down to the ground with the weight of the grain.

I was saying that beer came there. Some old woman kept the pub in her kitchen – but the beer would not last long.

As I was saying, my home was a farm, but my father was a farmer and a fisherman, just like all the other farmers.

There were six children in our house, and everyone got a good bellyful of tasty home-made food. We used to kill two pigs every year, salt them, and hang them from the kitchen ceiling. When we wanted fresh meat we would kill a sheep, and with six children and neighbours, it did not last very long. We also used to kill one cow a year, salt it, and store it in a big barrel.

What tasty food we used to get then – 'brwas' (a sort of thin gruel) for breakfast, and 'potes tatws' (potato broth) for lunch – it was no

Yr oedd acw chwech o blant yn ein tŷ ni, a phob un yn cael llond ei fol o fwyd cartref blasus. Fe fyddem yn lladd dau fochyn bob blwyddyn, eu halltu a'u hongian o dan do y gegin. Pan fyddem eisiau cig ffres, byddem yn lladd dafad, a hefo chwech o blant a chymdogion wnâi hi ddim para yn hir iawn. Hefyd byddem yn lladd un fuwch bob blwyddyn, ei halltu a'i storio mewn celwrn mawr.

Dyna ichwi fwyd blasus a fyddem yn ei gael y pryd hynny – brwas i frecwast a photes tatws i ginio – doedd dim rhyfedd fod pobl Enlli yn gryf. Bobl bach! buasai'n werth ichwi weld y cig mochyn – rhyw hanner llathen o dewdwr ar yr esgyrn.

Bara cartref oedd gennym, bara wedi ei godi hefo burum cartref. Rhaid imi ddweud wrthych sut i wneud y burum. Dyma be oedd ynddo: haidd, ceirch, hops a phys llwydion. Yn Enlli yn unig yr oedd y pys llwydion yma yn tyfu. Byddem yn cael chwe phunt yr hobed amdanynt yn y tir mawr.

Yr oedd yn rhaid glanhau'r haidd yn lân oddi wrth y col, a'r ffordd y byddem yn gwneud hynny oedd tywallt yr haidd ar lawr glân a thynnu ein clocsiau rhag inni ei faeddu. Yna cymryd erfyn – ei enw oedd gluddwr – haearn sgwâr â dannedd ynddo, wedi ei osod ar goes bren hir fel coes brws. Yna colbio a cholbio nes byddai'r col i gyd wedi dod i ffwrdd oddi wrth yr haidd. (Cododd Tomos Jones a mynd drwy y campau o golbio haidd.) Wedi cael y col i ffwrdd yr oedd rhaid gogrwn yr haidd dair gwaith drwy ogor.

Berwi llond powlan o haidd, ceirch a'r pys, a llond dwrn o hops mewn crochan gyda dŵr. Wedi iddo ferwi digon, ei roi drwy hidlan a'i

dywallt i biser. Yna rhoi'r piser ar aelwyd gynnes ar ôl rhoi dyrnaid o siwgr a pheilliad ynddo. Ei adael wedyn am ddiwrnod neu ddau iddo ffyrmentu – a byddai'n barod i'w botelu. Yr oedd mor gryf nes dryllio'r poteli weithiau.

Mi fuasai'n werth ichwi gael brechdan o fara Mam. Dyna ichwi fara, bois bach, bara gwerth ei fwyta. Torth dan badell bron gymaint â wyneb y bwrdd crwn bach, a'i chrystyn yn felyn fel sofren. Weithiau byddai'r gath yn mynd i ben y bwrdd, a cherdded hyd y dorth. Clywech ei chrystyn yn clecian dan ei thraed. 'Sgiat,' meddai Mam, a rhoi clustan i'r gath â'r cadach llestri. Diwrnod prysur fyddai diwrnod pobi i Mam; eisiau gwneud digon o fara i lenwi wyth o stumogau iach. Byddai ganddi ddau gelwrn pren mawr wedi eu sgwrio'n lân. Blawd peilliad yn un, a blawd haidd yn y llall. Yn y gegin allan, ychydig o ffordd o'r tŷ, y byddai'n crasu'r bara. Simdde fawr oedd yno, a dim popty.

Ar radell haearn fawr gron wedi ei gosod ar drybedd drithroed y byddai yn crasu'r bara.

wonder that Enlli people were strong. *Bobl bach!* you should have seen the bacon – about half a yard of thickness on the bone.

We had home-made bread that had been raised with home-made barm. I must tell you how to make the barm. This is what was in it: barley, oats, hops and 'pys llwydion' (grey peas).

It was only in Enlli that these 'pys llwydion' grew. We would get 6 pounds a hobbet for them on the mainland.

We had to clean the barley well from the husk, and the way we would do this was to pour the barley onto a clean floor, and take off our clogs so that we would not soil it. Then take a tool – it was called a 'gluddwr' – a square of iron with teeth in it that was fixed to a long wooden stick like a broomstick. Then flail it and flail it until all the husk had gone from the barley. (Tomos Jones got up and went through the motions of flailing barley.) Having got the husk away we had to sift the barley three times through a sieve.

Boil a basinful of barley, oats and the peas, and a handful of hops with water in a pot. When it was boiled enough, strain it and pour into a jug. Then put the jug on a warm hearth after putting a handful of sugar and wheat flour in it. Leave it then for a day or two to ferment – and it would be ready for bottling. It was so strong that it sometimes broke the bottles.

If only you could have had bread and butter with Mother's bread! There was bread for you, *bois bach*, bread worth eating. A loaf from a tin nearly as big as the top of the little round table, with a crust as yellow as a sovereign. Sometimes the cat would go on top of the table and walk

Rhwbiai'r radell yn gyntaf â chig moch, yna rhôi glapyn o'r toes ar ei chanol a rhoi padell fawr haearn drosto. Byddai'n lapio tywyrch o amgylch y badell, yna yn llosgi rhedyn odani nes y byddai'n boeth.

Byddai'n gwneud y dorth olaf bob amser mewn dau liw: clapyn o does gwyn a chlapyn o does haidd. Dyna ichwi frechdan dda hefo menyn cartref arni, ac yr oedd menyn Enlli yn well na menyn unlle!

Ar ôl gorffen crasu, byddai'n rhaid imi gario'r bara mewn sach lliain gwyn ar fy nghefn i'r tŷ. Yr oedd yn drwm hefyd, nes gwneud imi wingo otano.

'Paid ag ysgwyd y bara yna Tomos,' gwaeddai Mam, 'neu yr wyt yn siŵr o'u torri.'

'Ond Mam bach, maent yn drwm,' meddwn innau.

Ar ôl mynd i'r tŷ byddai Mam yn eu cadw mewn celwrn pren wedi ei sgwrio'n lân.

over the loaf. You could hear the crust crackling under her feet. 'Scram,' cried Mam, flicking it with the dishcloth. Baking day was a busy one for Mam, wanting to make enough bread to fill eight healthy stomachs. She used to have two big wooden tubs, scrubbed clean. Wheat flour in one and barley flour in the other. The bread used to be baked in the outside kitchen, a little way from the house. There was a big chimney there and no oven.

On a big round iron griddle, fixed to a tripod, she used to bake the bread. Firstly, she would rub the griddle with bacon, then the lump of dough was put in the middle, and a big iron pan placed over it. She wrapped turf around the pan and then burned bracken under it until it was hot.

She always used to make the last loaf in two colours: a lump of white dough and a lump of barley dough. What good bread and butter it was, with home-made butter on it, and Enlli butter was better than butter from anywhere else!

After baking was finished, I used to have to carry the bread home in a white linen sack on my back. It was heavy too and I struggled with it.

'Don't shake that bread, Tomos,' shouted Mam, 'or you'll be sure to break it.'

'But Mam bach, it is heavy,' I would say.

After getting to the house, Mam would keep it in a wooden tub, scoured clean.

Pennod II

Un o'r dynion cryfaf ar yr ynys oedd William
Huws. Wil Huws fyddent yn ei alw. Duwc
annwyl! dyna ichwi gawr o ddyn. Yr oedd dynion
Enlli i gyd yn gryf y pryd hynny, ond Wil Huws
oedd y cryfaf. Yr oedd un llaw iddo gymaint â
dwy law gyffredin. Feiddiai neb dynnu'n groes
iddo, achos nid oedd yno un a allai ei drechu. Yr
oedd yn gefnder i 'nhad. Mae wedi ei gladdu ers
llawer blwyddyn ym Mynwent y Seintiau.

Oes yna seintiau wedi eu claddu yno, clywaf
chwi'n gofyn. Oes debyg iawn. Ynys y Seintiau y
gelwir hi. Mae ugain mil wedi eu claddu yno.
Maent wedi eu claddu dros yr ynys i gyd, a'u
hesgyrn ym mhob cwr ohoni. Wrth aredig y
caeau, daw llawer penglog ac asgwrn i'r golwg
hefo swch y gwŷdd.

Pysgotwr a ffermwr oedd William Huws 'run
fath â phob dyn arall yno. Yr oedd gan ddynion
Enlli gychod mawr cryfion a allai wynebu bob
storom. Amser dal penwaig, a byddai'r dynion i
ffwrdd am ddiwrnodau. Yr oedd ganddynt lofft

Chapter II

One of the strongest men on the island was William Huws. Wil Huws he was called. *Duwc annwyl!* there was a giant of a man for you. All the Enlli men were strong at that time, but Wil Huws was the strongest. One of his hands was as big as two ordinary hands. No one dared to cross him because no one could stand up to him. He was a cousin of my father's. He has been buried since many years in 'Mynwent y Seintiau' (the Graveyard of the Saints).

Are there any saints buried there, I can hear you asking. Yếs, indeed. The island is called 'Ynys y Seintiau' (Island of the Saints). There are twenty thousand buried there, all over the island and their bones in every corner of it. When ploughing the fields, many skulls and bones come to light – brought up by the ploughshare.

Wil Huws was a farmer and a fisherman, the same as every other man there. The Enlli men had big strong boats that were able to withstand any storm. At the time of catching herring, the men used to be away for days. They had a loft above some stable in Porthdinllaen where they used to clean and salt the herring. After a good catch of herring they used to bring them to the loft, and after cleaning and salting, like I said, would pack them tightly in wooden casks, then send them to various markets. They would send them to Anglesey, Chester, Liverpool and many other places.

One man would usually go with them, and bring the money back to be divided amongst all the fishermen. One time one of the men went with the casks to Liverpool, and after selling all the herring he went on a spree and spent every

uwchben rhyw stabl ym Mhorthdinllaen, lle y byddent yn glanhau a halltu'r penwaig. Ar ôl helfa dda o benwaig, byddent yn dod â hwy i'r llofft, ac ar ôl eu glanhau a'u halltu, fel y dywedais, eu pacio'n dynn mewn casgenni pren, yna eu hanfon i wahanol lefydd i'w marchnata. Byddent yn eu hanfon i Sir Fôn, Caer, Lerpwl a llawer o fannau eraill.

Arferai un dyn fynd gyda hwynt a dod â'r arian yn ôl i'w rannu rhwng y pysgotwyr i gyd. Un tro aeth un o'r dynion hefo'r casgenni i Lerpwl, ac ar ôl gwerthu'r penwaig i gyd, aeth ar sbri a gwario'r arian bob dimai. Pan sobrodd, yr oedd arno ofn dod yn ôl i Enlli, a dihangodd i ffwrdd. Yr oedd gan y bechgyn amcan go lew i ble yr oedd wedi mynd – i Draeth Coch, Sir Fôn. Byddent yn arfer mynd i Draeth Coch i bysgota ac i werthu penwaig.

'Wyddoch chwi ble mae o hogia?' meddai un dan grafu ei ben. 'Yn Nhraeth Coch ar fengo i.'

'Allan â'r cwch hogia,' ebe un arall. Ac i'r cwch â hwy gan 'nelu am Sir Fôn.

Wedi cyrraedd Traeth Coch gwelent ddyn ar gae yn ymyl y traeth. Aeth un o'r bechgyn ato a gofyn,

'A oes gennych ddyn dieithr yn gweithio ichwi?'

'Oes,' ebe'r ffermwr, 'mae o i lawr ar y traeth yna yn rhywle yn trwsio rhwydi.'

Aeth y bachgen yn ôl at y cwch, a dweud be ddywedodd y ffermwr wrtho. Am y traeth â hwy yn un twr.

'Ia! ar fengo i, y fo ydi o hogia.'

'Arhosa di, 'ngwas i, imi gael gafael ynot,' ebe un arall.

Ei lusgo i'r cwch a gafodd, ac yn ôl i Enlli â hwy yn ddiymdroi.

Pan fyddem yn aros ym Mhorthdinllaen, Wil Huws fyddai'n aros ar ôl yn y llofft i edrych ar ôl pethau ac i wneud bwyd. Erbyn i'r dynion ddod i mewn am fwyd, byddai pennog ffres wedi ei ffrio a'i osod ar blât pob un, a thafell o fara wrth ochr pob plât yn eu disgwyl. Fel yr oeddwn yn dweud, dyn cryf oedd Wil Huws, a gallai fwyta cymaint â dau. Wedi bwyta un ochr i'r pennog a'i droi i'r ochr arall, doedd yno ddim ond esgyrn yn ein hwynebu. Wil Huws wedi bwyta'r ochr arall i bob pennog! Ond feiddiai neb rwgnach na chodi ei lais – Wil Huws oedd y bòs.

Yr oedd pysgod yn rhan helaeth o'n bwyd yn Enlli. Byddem yn sychu'r penwaig a'r gwrachod yn yr haul, ac ar ôl iddynt galedu, eu dodi ar linyn a'u hongian dan do y gegin a'u defnyddio pryd y mynnem. Dyna fwyd blasus oedd pennog neu wrachen fel hyn wedi ei ferwi ar ben tatws drwy eu crwyn. Gwrachen oedd orau gen i. Powliau pren a chylchau pres o'u hamgylch oedd gan bawb yn bwyta.

Duwc annwyl, rhaid imi ddweud wrthych sut i wneud 'Potes Penradell' – toes wedi ei wneud o flawd haidd, halen a dŵr. Ei roddi mewn dŵr berwedig a'i ferwi ar y tân nes bydd fel pwdin. Wedi iddo ferwi digon, byddai pawb yn disgwyl

penny. When he sobered down, he was afraid to come back to Enlli, so he ran away. The boys had a pretty good idea where he had gone – to Traeth Coch in Anglesey. They often went to Traeth Coch to fish and to sell herring.

'Do you know where he is, boys?' said one, scratching his head. 'Upon my life! He's in Traeth Coch.'

'Out with the boat, boys,' said another. And out in the boat they went, setting out for Anglesey.

Having reached Traeth Coch they saw a man in a field near the beach. One of the boys went to him and asked,

'Do you have a stranger working for you?'

'Yes,' said the farmer, 'he's down on the beach somewhere mending nets.'

The boy went back to the boat and told the others what the farmer had said. Out onto the beach they all crowded.

'Yes! upon my life, it's him boys.'

'Just you wait, my lad, 'till I get my hands on you,' said another.

They dragged him into the boat, and back they went to Enlli without further ado.

When we stayed in Porthdinllaen, Wil Huws used to stay behind in the loft to look after things and to cook the food. When the men came in for food, there would be fresh herring, fried, and put out on each plate, and a hunk of bread beside each plate, ready for them. As I said, Wil Huws was a strong man, and he was able to eat as much as two men. Having eaten one side of the herring, we then turned them over, only to be faced with just the bone. Wil Huws had eaten the underside of every herring!

33

hefo'u powliau pren. Hodad y gelwid y bowlan. Ar waelod y bowlan byddai gennym saim cig moch, yna torri darnau o'r toes poeth iddo, a'i guro'n iawn hefo llwy bren.

Rwy'n cofio, un tro, Wil Huws wedi gwylltio'n gandryll. Yr oedd wedi curo mor drwm ar y toes nes torri twll yn ei hodad. Yr oedd wedi gwylltio cymaint nes iddo luchio'r hodad a'i chynnwys i gongl bella'r gegin, ac allan â fo ar garlam drwy'r drws a gwrthod bwyta am ddiwrnodau. Cafwyd hyd i hodad newydd iddo, a daeth ato ei hun i iawn bwyll.

But nobody dared complain or raise his voice – Wil Huws was the boss!

Fish were a large part of our food on Enlli. We used to dry herring and 'gwrachod' (wrasse – a rock fish) in the sun, and when they were hard, put them on a line and hang them from the kitchen ceiling to be used when we wanted. Boiled herring or 'gwrachod' like this, on top of jacket potatoes were delicious. I preferred the 'gwrachod'. Wooden bowls with brass rims were what everyone had for eating.

Duwc annwyl! I must tell you how to make 'Potes Penradell' (Penradell Broth) – dough made with barley flour, salt and water. Put it into boiling water and boil it on the fire until it becomes like pudding. When it had boiled enough, everyone would be waiting with their wooden bowls. The bowls were called 'hodad'. At the bottom of the bowls we would have bacon fat, and then break pieces of the hot dough into it, and beat it well with wooden spoons.

I remember, once, Wil Huws flying into a rage. He had beaten the dough so hard that there was a hole in his 'hodad'. He was so furious that he threw the bowl and its contents into the farthest corner of the kitchen, and out he ran through the door and refused to eat for days. A new bowl was found for him and he came to himself in his own good time.

Pennod III

Clocsiau fyddai pawb yn wisgo yn Enlli y pryd hynny. Clocsiau wedi eu gwneud gartref. O bren collen yr oedd y gwadnau wedi eu gwneud a'u topiau o groen dafad wedi ei sychu. Gwellt fyddem yn roi tu mewn iddynt i gadw ein traed yn gynnes.

Yr oedd dillad yn brin iawn yno, yn enwedig dillad rhag dŵr y môr a'r glaw, a be fyddem yn ei wneud i wynebu hyn ond col-tario ein trowsus a'n crysbas (côt) a gadael iddynt sychu. Yr oeddynt mor galed nes bron sefyll ar eu pen eu hunain. Ond coeliwch fi, ddaethai yr un diferyn o law na dŵr y môr drwyddynt.

Yr adeg hynny yr oedd sôn fod y Gwyddelod am ymosod ar Enlli a'r tir mawr. Yr oedd pawb yn ofnus iawn. Feiddiai neb fynd allan ar ôl iddi nosi, a phawb â chlo ar bob drws a ffenestr. Yn fuan ar ôl y sôn am y Gwyddelod, aeth hogiau Enlli i bysgota i fae Nefyn, ac fel arfer aethant i'r lan i brynu bwyd. Yr oedd pob un yn y dillad col-tar, het fach gron am eu pennau a barf laes dywyll bron yn cuddio eu hwynebau, ac yr oedd eu crwyn yn dywyll – y môr wedi eu lliwio. Ac

36

Chapter III

Everyone on Enlli wore clogs at that time. Home-made clogs. The soles were made from hazel wood, and the uppers from dried sheepskin. We would put straw inside to keep our feet warm.

Clothes were very scarce there, especially clothes to protect us from the sea water and rain. What we would do about this was to put coal-tar on our trousers and our coats, and let them dry. They were so hard they would practically stand up by themselves, but, believe me, not a single drop of rain or sea water came through.

At that time there were rumours that the Irish intended to attack Enlli and the mainland. Everybody was very frightened. No one dared go out after dark, and everyone locked all doors and windows. Soon after all these rumours about the Irish, the Enlli boys went fishing in Nefyn bay, and, as usual, landed to buy food. Each one was in his 'coal-tar' clothes, with little round hats on their heads, and long dark beards almost hiding their faces, and their skins were dark – coloured by the sea. And I must confess, they looked terrifying.

I can't help laughing, remembering the occasion. The gang all went together to Nefyn. When the Nefyn people saw them, they stared for a second in terror, and then ran home for their lives shouting 'The Irish have come! The Irish have come! Run home for your lives'. And everyone ran in and locked their doors.

The Enlli boys went along to a food shop. When the shopkeeper saw them she flung up her arms and cried, 'Oh dear, Oh dear, what shall I do? Take whatever you like but spare my life'.

mae'n rhaid imi gyfaddef, yr oedd golwg go arswydus arnynt.

Fedra' i ddim peidio â chwerthin wrth gofio am yr adeg. Aethant yn un giang hefo'i gilydd i dref Nefyn. Pan welodd pobl Nefyn hwy, dyma nhw'n syllu arnynt am eiliad mewn braw, yna rhedeg adref am eu bywyd dan weiddi 'Mae'r Gwyddelod wedi dod! Mae'r Gwyddelod wedi dod! Rhedwch adref am eich bywydau'. A rhedodd pawb a chau eu drysau a'u cloi.

Aeth hogiau Enlli ymlaen i'r siop fwyd. Pan welodd gwraig y siop hwy cododd ei breichiau a sgrechian, 'O diar! O diar! Be wna' i? Cymerwch beth a fynnoch, ond arbedwch fy mywyd'.

'Be sydd ar y ddynes deudwch? Hogiau Enlli wedi dod i brynu bara ydym ni.'

Ac ebe'r wraig yn grynedig dan chwerthin, 'Wel hogiau bach, diolch i'r nefoedd, yr oeddwn yn meddwl mai Gwyddelod oeddych'.

Aeth y bechgyn oddi yno wedi eu llwytho â nwyddau. Ac fe siaradent lawer am y digwyddiad yma.

Byddem yn cael ystormydd dychrynllyd o amgylch Enlli, ac aeth llawer llong yn ddrylliau ar ei glannau creigiog. Un noson erchyll o stormus, gyda'r tonnau fel mynyddoedd mawr yn curo'r creigiau, aeth llong yn ddrylliau o dan y goleudy. Boddwyd pob un o'r criw ond un. Taflodd moryn ef i'r lan yn ei ddillad nos. Dringodd i fyny'r allt rywsut, a llusgo ei ffordd at ffermdy. Curodd wrth y drws. Gwaeddodd y ffermwr o'i wely, 'Ewch adref i'ch gwlâu, y creaduriaid gwirion, yn lle deffro rhywun yr adeg yma o'r nos'.

Yr oedd yn meddwl mai hogiau Enlli oedd yn gwneud twrw. Nid oedd bod ar eu traed ddau neu dri o'r gloch y bore yn ddim ganddynt. Ond

dal i guro a wnaeth y truan. Cododd gŵr y tŷ o'r diwedd, ac agor y drws. Syrthiodd y morwr druan i'w freichiau bron â marw gan oerni. Cododd gwraig y ffermwr a gwneud bwyd cynnes a gwely cynnes iddo.

Fore trannoeth aeth pawb oedd ar yr ynys i lawr at y llongddrylliad. Nid oedd dim ohoni ar ôl ond sglodion, ond wedi ei thaflu i'r lan gan y tonnau yr oedd casgen lawn o frandi – y math gorau. Dyna le oedd yno ar ôl torri pen y gasgen! Digon o ddiod, ond yr un gwydr i yfed. Edrychodd pawb ar ei gilydd yn ddigalon am eiliad.

'Hei,' ebe un, 'i be'r ydym yn aros?' gan dynnu ei glocsen yr un pryd. Tynnodd pawb ei glocsen gan ei throchi i'r gasgen lawn, ac yfed nes gwagio'r gasgen yn llwyr. Gellwch feddwl y lle oedd yno – pawb yn feddw chwil, pawb ond dau – y gweinidog a'r gwas bach pymtheg oed.

Yr oedd tuniau cig wedi eu chwalu dros y creigiau ym mhob man.

'Wel di John,' ebe'r gweinidog, 'does arnat ti na fi ddim eisiau y ddiod, ond mae yn bechod gadael y fath fwyd fynd yn ofer ar y creigiau. Fe awn ni ag ef adref.' Aeth y ddau â chymaint a allent ei gario adref yn eu breichiau, a phwy a welai fai arnynt? Yr oedd y bîff yn well bwyd i bobl nag i bysgod.

'Whatever is wrong with you woman? We are the Enlli boys come to buy bread.'

And the woman said, shaking with laughter, 'Well, *hogiau bach*, thank heaven! I thought you were the Irishmen'.

The boys went from there laden with supplies. And they talked a lot about this incident.

We used to have fearful storms around Enlli, and many ships were wrecked on the rocky shores. One frightfully stormy night, with waves like big mountains pounding the rocks, a ship was wrecked under the lighthouse. All the crew were drowned except one. The sea flung him onto the shore in his night clothes. He climbed up the hill somehow, and dragged himself to a farmhouse. He knocked on the door. The farmer shouted from his bed, 'Go home you wretched creatures, instead of waking people up at this time of night'.

He thought that it was the Enlli boys making a row. It was nothing for them to be up at two or three in the morning. But the poor fellow went on knocking. At last the farmer got up and opened the door. The poor sailor fell into his arms, almost dead with cold. The farmer's wife got up and made hot food and a warm bed for him.

Next morning all the people on the island went down to the wreck. There was nothing left of it except splinters, but on the shore, thrown up by the waves, was a barrelful of brandy – the best sort. But after smashing the top of the barrel, it dawned upon them . . . plenty of drink but not a glass to drink from! They looked at each other glumly for a moment.

Yr adeg hynny yr oedd yn Enlli un neu ddau o fythynnod, ac yn un ohonynt yr oedd hen ferch o'r enw Siân yn byw. Yr oedd bron â marw eisiau gŵr. Y ffordd a oedd ganddi i geisio ennill gŵr oedd gwneud pwdin tatws, blasus. A sgram blasus oedd o hefyd! A dyma sut roedd yn gwneud pwdin tatws. Rhoi tafell o gig mochyn ar waelod crochan trithroed. Yna berwi tatws, eu mwtro, neu fel y dywed rhai, eu stwnsio, a rhoi pupur a halen ynddynt. Yna eu dodi ar ben y cig mochyn oedd yng ngwaelod y crochan, eu gorchuddio â rhagor o gig mochyn a'u crasu ar radell. Pan fyddai'r pwdin yn barod, byddai yn gwneud sôs hefo blawd gwyn, pinsied o halen, clapyn o fenyn a llefrith, a'i roddi ar ben y pwdin pan fyddem yn ei fwyta.

I'r wledd hon gwahoddai fechgyn yr ynys. Yr oedd yn arfer gwadd y brenin – hen lanc oedd – ac efallai ei bod yn disgwyl cael bod yn frenhines! 'Nol' fyddai enw pob ci oedd gan y brenin a phob tro y gwelai Siân ef yn dod dywedai, 'Mae'r hen Nol yn dod hogiau'. Un tro chafodd o ddim gwadd, a beth wnaeth o a rhyw

'Hey,' said one, 'what are we waiting for?' taking off his clog as he spoke. Everyone took off their clogs to fill them from the full barrel, and went on drinking until the barrel was empty. You can imagine what it was like – everyone reeling drunk, all except two – the minister and the little farm servant of fifteen.

There were tins of meat scattered everywhere over the rocks.

'Look John,' said the minister, 'neither you nor I want the drink, but it is a sin to leave all this food to go to waste on the rocks. We will take it home.' The two went home with as much as they could carry in their arms. And who could blame them? It was best that the men, and not the fish, ate the beef.

At that time there were one or two cottages on Enlli, and in one of them lived a spinster called Siân. She was nearly dead from wanting a husband. The way she tried to win a man was to make a delicious 'pwdin tatws' – potato pudding. And a tasty dish it was indeed! This is how she made potato pudding. Put a slice of bacon at the bottom of a tripod crock, then boil the potatoes, mash them, or as some would say 'stwnsio', and put salt and pepper in them. Then put the mash on top of the bacon, cover the mash with more bacon and bake it on a griddle. When the pudding was ready she used to make a sauce with white flour, salt, a bit of butter and milk, and put it on top of the pudding when we ate it.

To this feast she would invite the island boys. She usually invited the king – an old batchelor – perhaps she expected to be made queen! 'Nol' was the name of every dog belonging to the king and every time Siân saw him coming she would say, 'Old Nol is coming boys'. One day he was

fachgen arall, ond dringo i ben y to a rhoi ffaglan eithin a thân arni i lawr drwy'r simdde. Bobl bach! dyna le oedd yno – pawb yn gwthio am y drws ac wedi dychryn. Dechreuodd y dresel fynd ar dân a thorrwyd y ffenestr, ond llwyddwyd i ddiffodd y tân cyn iddo wneud difrod mawr. Wnaeth Siân byth bwdin iddynt wedyn.

not invited and what he and another boy did was climb onto the roof and put a torch of burning gorse down the chimney. *Bobl bach!* what a commotion there was – everybody terrified and pushing for the door. The dresser caught fire and the window was broken, but the fire was put out before much damage was done. Siân never made pudding for them again.

Pennod IV

Bwganod a Thylwyth Teg

'Oedd yno fwganod Tomos Jones?'

Duwc annwyl! oedd debyg iawn, a chymaint
wedi eu claddu yno. Nid yn y fynwent fach yn
unig yr oeddynt wedi eu claddu, ond dros yr ynys
i gyd, fel y soniais o'r blaen. Hiswy bach! yr
oeddynt ym mhobman. Mi ddywedaf am un
bwgan a glywais â 'nghlustiau fy hun. Un nos
Sul distaw, yr oedd Mam a 'Nhad wedi mynd i'r
capel. Yr oedd Dei fy mrawd yn darllen ei Feibl
wrth y bwrdd, a minnau yn gorwedd ac yn
pendympian ar y setl wrth y tân.

'Tomos,' meddai fy mrawd yn sydyn, gan
sisial. 'Deffro, glyw di rywbeth?'

Codais yn syth ar fy eistedd a gwrando.

'Clywaf,' meddwn gan sibrwd, a chrynu fel
deilen. 'Mae rhywun yn griddfan yn y llofft.' A
dal i riddfan oedd mewn llais annaearol. Yr
oeddym ein dau bron â llewygu gan ofn – ofn
symud llaw na throed. A dal i riddfan yr oedd y
llais.

Chapter IV

Ghosts and Fairies

'Were there ghosts there, Tomos Jones?'

Duwc annwyl! yes of course, with so many buried there. They were not only buried in the little graveyard, but all over the island, as I mentioned before. *Hiswy bach!* they were everywhere. I'll tell you about one ghost I heard with my own ears. One quiet Sunday evening my mother and father had gone to chapel. My brother, Dei, was reading his Bible by the table, and I lay and dozed on the settle by the fire.

'Tomos,' said my brother suddenly, in a whisper, 'wake up. Do you hear something?'

I sat up immediately and listened.

'Yes,' I said in a whisper, shaking like a leaf, 'someone is groaning in the bedroom.' The groaning went on in an unearthly voice. We were both nearly faint from fear – afraid to move hand or foot. And the voice went on groaning.

Soon we heard the footsteps of our mother and father returning home from chapel. Oh! what a relief to hear them open the door and come into the kitchen. Mam stared at our faces.

'What's wrong boys?' she asked. 'Are you ill? You are as white as chalk.'

'There's a ghost in the bedroom,' we said together.

My father took a candle and went to the bedroom to have a look, but the groaning stopped at that moment. It wasn't a dream, this is perfectly true because I heard it with my own ears. I never tell lies.

Toc clywsom sŵn traed fy nhad a'm mam yn dod adref o'r capel. O! dyna ollyngdod oedd eu clywed yn agor y drws a dod i mewn i'r gegin. Syllodd Mam ar ein hwynebau.

'Be sydd arnoch hogiau?' gofynnodd. 'A ydych yn sâl? Yr ydych yn wyn fel y galchen.'

'Mae yna fwgan yn y llofft,' meddem ein dau gyda'n gilydd.

Cymerodd fy nhad gannwyll, ac aeth i'r llofft i edrych, ond distawodd y griddfan y funud honno. Nid breuddwyd oedd; mae yn berffaith wir ichwi, achos clywais ef â'm clustiau fy hun. Ni fyddaf byth yn dweud celwydd.

Dyma ichwi stori arall. Yr oedd hen ferch gybyddlyd yn byw ar ei phen ei hun yn un o'r tai. Yr oedd ei chwaer a'r teulu yn byw mewn fferm gyfagos. Cadwai'r hen ferch ei harian mewn hosan, a honno'n hosan hir. Bu farw'r hen ferch, ac ar ôl ei chladdu, chwiliwyd y tŷ i gyd am yr arian – ond ni chafwyd hyd i un geiniog goch yn unman. Ymhen ychydig ar ôl ei chladdu, dechreuodd ei hysbryd grwydro o'i thŷ ei hun i dŷ ei chwaer ar hyd llwybr a oedd yn arwain o un tŷ i'r llall. Pan fyddent yn eu gwlâu, a phob man yn ddistaw ac wedi ei gloi, llithrai i mewn i'r tŷ ac i fyny'r grisiau ac i'r ystafell wely. Tynnai ddillad y gwlâu oddi arnynt, ysgytwai draed y gwlâu a thynnu'r dyrnau pres i ffwrdd, achos gwlâu haearn oedd yno y pryd hynny. Yna llithrai allan a diflannu fel niwl o'u golwg. Wedi cuddio'r arian yno yn rhywle yr oedd, a cheisio dweud wrthynt p'le yr oedd. Wn i ddim a gawsant hyd i'r arian ai peidio.

Mae yna lawer o ogofâu yn Enlli. Yr oedd yno un yn y mynydd na feiddiai neb fynd yn agos iddi ar ôl iddi nosi. Ogof y Tylwyth Teg y gelwid

hi. Un noson yr oedd ffermwr yn mynd adref o
fferm arall. Nid oedd yn dywyll iawn, ac wedi
mynd ran o'r ffordd, clywodd rywun yn cerdded
yn ysgafn wrth ei ochr. Ni welai neb ar y
dechrau, yna yn sydyn, clywodd lais merch yn
canu'n beraidd – y llais mwyaf swynol a glywodd
erioed. Yna clywodd glychau fel arian yn canu'n
rhywle. Yr oedd sŵn y clychau fel pe'n dod o'r
ogof. Pan nesaodd at yr ogof, gwelodd
berchennog y llais – y ferch harddaf a welodd
erioed. Yr oedd yn ddisglair i gyd, a'i gwallt fel
aur ar ei phen. Yn sydyn diflannodd i lawr i'r
ogof. Ni wyddai'r ffermwr ddim sut y
cyrhaeddodd gartref y noson honno, yr oedd
wedi dychryn cymaint.

Mae yna hen odyn galch yn Enlli, yn segur ers
oesau lawer. Byddai'n arferiad gan y pysgotwyr
godi am ddau neu dri o'r gloch y bore a mynd
allan at eu rhwydi. Un tro cafodd y rhwydi fynd
i'r fan a fynnent. Pan oedd y pysgotwyr yn mynd
un noson, neu'n hytrach yn y bore bach, ac yn

Here is another story for you. There was a miserly old spinster living by herself in one of the houses. Her sister and her family lived on a farm nearby. The spinster kept her money in a stocking, a long long stocking. She died, and after her burial, the house was searched from top to bottom for the money, but not a single penny could be found anywhere. Some time after her burial her spirit began to wander from her own house to her sister's house along a path that led from one house to the other. When they were in their beds and everywhere was quiet and locked, she would slip into the house, and upstairs to the bedroom. She would pull the bed-clothes off them, shake the foot of the beds, and pull the brass knobs off – they were iron beds at that time. Then she would slip out and disappear like mist out of their sight. She had hidden the money there, somewhere, and she was trying to tell them where it was. I don't know whether they found the money or not.

There are many caves on Enlli. There was one on the mountain that no one dared go near after nightfall. 'Ogof y Tylwyth Teg' (The Fairies Cave) it was called. One evening a farmer was going home from another farm. It was not very dark, and having gone part of the way, he heard someone walking lightly beside him. He saw no one to begin with, then suddenly he heard a girl's voice singing sweetly – the sweetest-sounding voice he had ever heard. Then he heard bells like silver, ringing somewhere. The bells sounded as if they came from the cave. As he neared the cave he saw the owner of the voice – the most beautiful girl he had ever seen. She was all shining and her hair like gold on her

nesáu at yr odyn, gwelent fflamau o dân glas yn codi ohoni. Yr oeddynt fel tafodau o dân yn codi hyd y nen, ac yn goleuo'r holl le. Safodd y dynion yn syn am eiliad, yna troi a rhedeg am eu bywydau yn ôl i'w cartrefi a chau eu drysau. Nid aethant byth wedyn yn agos i'r odyn ar ôl iddi nosi.

head. Suddenly she disappeared down into the cave. The farmer did not know how he got home that night, so great was his fright.

There is an old lime-kiln on Enlli, idle since a long time. The fishermen usually got up at two or three o'clock in the morning to go out to their nets, but one morning the nets had to stay where they were. When the fishermen were going one night, or rather in the early morning, and getting nearer to the kiln, they saw blue flames rising from it. They were like tongues of fire reaching up to heaven and lighting the whole place. The men stood astonished for a moment, then turned and ran for their lives back to their houses and shut their doors. They never again went near the old kiln after nightfall.

Pennod V

Fel y dywedais yn flaenorol, Wil Huws oedd y
cryfaf yn yr ynys. Un dydd yr oedd yn aredig
mewn cae uwchben y môr. Ar y creigiau otano
gwelodd sach mawr gwyn yn llawn o rywbeth.
Gadawodd y ceffylau ar y cae, ac aeth i lawr at y
creigiau. Clocsiau oedd ganddo am ei draed. Pan
ddaeth at y sach, gwelodd mai sachaid o beilliad
oedd. Cydiodd yn y sach a'i daflu dros ei
ysgwydd, a'i gario i fyny'r creigiau yn ddiogel.
Faint ddylie chwi oedd pwysau'r sachaid blawd?
Dau gant wyth deg a dau o bwysi. Dyna gamp i
unrhyw ddyn.

Yr oedd dynion Enlli i gyd yn gryfion y pryd
hynny. Yr oedd eu breichiau gymaint â chanol
dyn cyffredin. Yr oedd blew mawr dros eu
breichiau a'u brestiau ac yr oedd gan bob dyn farf
hir a thew. Ni fyddent byth yn eillio eu
hwynebau – dyna'r ffasiwn y pryd hynny. Pan
fyddent yn gwerthu anifeiliaid – buwch, ceffyl,
dafad, neu fochyn – i'r tir mawr, rhaid oedd eu
cludo dros y dŵr mewn cwch mawr cryf.
Gellwch feddwl fod rhaid i'r cwch fod yn un cryf
a chadarn. Gallent godi buwch – pedwar dyn, un
ym mhob coes iddi – mor hawdd â chodi dafad.
Yna ei rhwymo yn y cwch.

Chapter V

As I said earlier, Wil Huws was the strongest man on the island. One day he was ploughing in a field above the sea. On the rocks below he saw a big white sack full of something. He left the horses in the field and went down to the rocks. He had clogs on his feet. When he got to the sack, he saw that it was a sack of wheat flour. He lifted it and threw it over his shoulder, and carried it up the rocks safely. How much, would you guess, was the weight of that sack of wheat flour? Two hundred and eighty two pounds. There's a feat for any man.

All the Enlli men were strong at that time. Their arms were as stout as the waists of ordinary men. They had thick hair on their arms and chests, and each one had a long thick beard. They never shaved their faces, that was the fashion at that time. When they sold animals – a cow, a horse, a sheep or a pig – on the mainland, they had to be carried over the sea in a big strong boat. You can imagine that the boat had to be strong and solid. They could lift a cow – four men, one at each leg – as easily as lifting a sheep. Then tie it in the boat.

It was a rather dangerous task to bring a horse over on the boat. I remember one horse getting unruly and falling into the sea. It drowned too, and the men almost drowned with it.

At one time, many years ago, there was a mansion on Enlli and it was called Carreg Plas. In this mansion all the inhabitants of Enlli lived. There were two pirates who lived there also, before the lighthouse was built. These pirates were under the influence of the landowner on

Gorchwyl go beryg oedd dod â cheffyl drosodd mewn cwch. Rwy'n cofio un ceffyl yn strancio a disgyn i'r môr. Boddi a wnaeth o hefyd, a bu bron i'r dynion foddi i'w ganlyn hefyd.

Un adeg, flynyddoedd lawer yn ôl, yr oedd yna blasty yn Enlli, a'i enw oedd Carreg Plas. Yn y plasty hwn yr oedd trigolion Enlli i gyd yn byw. Yr oedd dau fôr-leidr yn byw yno hefyd, cyn bod goleudy. Yr oedd y môr-ladron hyn dan ddylanwad perchennog y tir mawr, sef pentre Aberdaron a'r cylch. Y 'General' a fyddent yn ei alw ac ym Modwrdda yr oedd yn byw. Byddai'r môr-ladron yn denu ac ysbeilio llongau, ac yntau yn cymryd yr arian a phopeth yr oeddynt wedi ei ddwyn. Arferent losgi ffaglau a denu'r llongau i'r creigiau, yna lladd y criw a dwyn y llwyth.

Un tro fe ddenwyd llong i'r creigiau a lladdasant y criw i gyd, ond medrodd y capten ffoi, a nofio i Aberdaron. Mae'n sicr fod y môr yn gulach y pryd hynny. Cafodd y capten hyd i'r Persondy, curodd wrth y drws, agorwyd iddo, a disgynnodd i mewn bron yn farw. Ymgeleddodd yr offeiriad ef a chafodd lety a phob croeso. Yno y

bu am ysbaid yn gwella, ac fe adroddodd yr hanes i gyd wrth yr offeiriad. Un dydd pwy a ddaeth i'r Persondy ond y 'General', yn llawn ymffrost, ond gwelwodd ei wedd pan ddywedodd yr offeiriad wrtho pwy oedd y dyn dieithr a beth oedd wedi digwydd. Gwelodd ei bod ar ben arno i gael dim rhagor o ysbail o Enlli. Daeth yr awdurdodau i mewn a daliwyd y môr-ladron. Cawsant eu crogi am wn i a bu'r 'General' yn ffodus na chafodd yntau yr un driniaeth.

Cofiwch fod hyn cyn fy amser i, ond clywais yr hanes lawer gwaith gan yr hen bobl. Yr oedd bywyd yn ddifyr iawn yn Enlli yn fy adeg i, mynd i dai ein gilydd a gwrando ac adrodd chwedlau a hanesion.

the mainland, that is Aberdaron and the district around. He was called 'The General' and lived at Bodwrdda. The pirates would attract and plunder ships, and he would take the money and everything that they had stolen. They would light torches to draw the ships onto the rocks, and then kill the crew and steal the cargo.

A ship was once drawn onto the rocks and all the crew were killed, but the captain managed to escape and swam to Aberdaron. The sea was certainly narrower at that time. The captain found the parsonage, knocked on the door, it was opened for him and he fell in nearly dead. The priest looked after him and gave him lodging and every welcome. He was there for some time recovering, and he told the whole story to the priest. One day, who came to the parsonage but 'The General', full of boasting, but he turned pale when the priest told him who the stranger was and what had happened. He realised that he would no longer be able to get any more plunder from Enlli. The authorities came and caught the pirates. They were hung as far as I know, and 'The General' was lucky that he did not get the same treatment.

Remember that this was before my time, but I have heard the story often from the old people. Life was very interesting on Enlli in my time, going to each other's houses, listening to and telling old stories and tales.

Pennod VI

Dyma enwau rhai o'r trwynau a'r ogofâu sydd o amgylch Enlli:

Y Cafn	Trwyn Fynwent
Trwyn Rhonllwyn	Trwyn Maen Saer
Trwyn Melynion	Trwyn Du
Trwyn Chwith	Y Meindy Pendiban
Sgers	Trwyn y Llanciau
Trwyn Dihiryn	Trwyn Main
Maen Iau	Maen Melyn
Trwyn Penrhyn Gogor	Trwyn Golchach
Ogof Diben	Ogof Stwffwl Glas
Borth Fadog	Porth Sol'ach
Higol Pwll Du	Ogo'r Gŵr
Ogof Hir	Twll Dan Ddaear
Ogof Wilbod	Ogo'r Nant
Twll Halen	Ogof Morgan
Ogof y Gaseg	

Dyma hanes rhai o'r trwynau a'r ogofâu:

Y Cafn: Hwn yw'r mynediad i mewn i Enlli. I'r fan yma y bydd y cychod yn dod. Mae'r dŵr yn rhy fas i'r stemars ddod i mewn; rhaid dod â phobl a nwyddau i mewn mewn cychod.

Chapter VI

Here are the names of some of the points and caves that are around Enlli:

Y Cafn	Trwyn Fynwent
Trwyn Rhonllwyn	Trwyn Maen Saer
Trwyn Melynion	Trwyn Du
Trwyn Chwith	Y Meindy Pendiban
Sgers	Trwyn y Llanciau
Trwyn Dihiryn	Trwyn Main
Maen Iau	Maen Melyn
Trwyn Penrhyn Gogor	Trwyn Golchach
Ogof Diben	Ogof Stwffwl Glas
Borth Fadog	Porth Sol'ach
Higol Pwll Du	Ogo'r Gŵr
Ogof Hir	Twll Dan Ddaear
Ogof Wilbod	Ogo'r Nant
Twll Halen	Ogof Morgan
Ogof y Gaseg	

Here are the stories of some of the points and caves:

Y Cafn: This is the entrance to Enlli. It is to this place that the boats come. The water is too shallow for steamers to come in; people and goods have to be brought ashore in boats.

Trwyn Fynwent: A ship was wrecked here. Her captain was Tomos Williams. He was my great-grandfather. His daughter was with him in the ship and she was drowned and all the crew.

Trwyn Rhonllwyn: A ship went down here too. Her captain was James Coesau Preniau *(James*

Trwyn Fynwent: Aeth llong yn ddrylliau ar hwn. Ei chapten oedd Tomos Williams. Hen daid i mi oedd. Yr oedd ei ferch gydag ef yn y llong ac fe foddodd hi a'r criw i gyd.

Trwyn Rhonllwyn: Aeth llong i lawr ar hwn hefyd. Ei chapten oedd James Coesau Preniau. Yr oedd ei goesau wedi rhewi tra oedd yn morio mewn gwledydd oer. Yr oedd yn gyfoethog iawn ond nid wyf yn gwybod pwy a gafodd ei arian.

Trwyn Maen Saer: Aeth llong ar y trwyn hwn hefyd ond medrodd fynd i ffwrdd oddi yno. Mae'n sicr gen i fod llawer o dda pluog arni, achos byddem yn clywed y ceiliog yn canu dros bobman yn y bore bach.

Trwyn Chwith: Dyma lle y byddem yn dal digon o grancod a chimychiaid. Yr oedd eu tyllau ym mhobman ond yr oedd yn rhaid defnyddio llaw chwith i'w tynnu allan. A dyna pam y cafodd y trwyn ei enw.

Y Fuddai: Dyma le da eto am grancod. Cafodd yr enw yma am ei bod ar ddull buddai.

Sgers neu Ogof Ladron: Yn y fan yma y byddai'r môr-ladron yn dod i mewn i Enlli.

Trwyn y Llanciau: Bu trychineb mawr ar y trwyn yma. Boddodd tri brawd yno hefo'i gilydd. Meibion Tyddyn Mawr Penllech oeddynt. Yn Tyddyn Mawr y pryd hynny yr oedd y tri brawd yma yn byw hefo'u chwaer. Adeg Howel Harris oedd hyn, a bu gorfod arno guddio yno mewn cwpwrdd pan oedd ei elynion ar ei ôl.

Un dydd braf aeth y tri brawd i bysgota

mecryll i Enlli. Pan oeddynt wrth y trwyn hwn cododd storm fawr yn sydyn. Aeth y cwch yn erbyn y graig a boddwyd y tri.

Borth Fadog: Cafodd yr enw oddi wrth rhyw fachgen o Borthmadog. Daeth i Enlli hefo cwch bychan a glanio'n ddiogel yn y fan yma. Yn y borth yma y cafodd Wil Huws hyd i'r sach peilliad.

Trwyn Dihiryn: Tu allan i'r trwyn hwn y mae carreg fawr – gelwir hi yn garreg Ona. Aeth llong yn cario glo yn deilchion yn erbyn y trwyn hwn a chafodd pobl yr ynys ddigon o lo i bara am fisoedd. Aeth pawb i lawr i'r creigiau a llenwi eu sachau. Dywedir bod rhywfaint o lo yn dod i'r golwg yno o hyd.

Porth Sol'ach: Yn y borth yma y byddai'r pysgotwyr yn cadw eu cewyll crancod a'u cychod.

Higol Pwll Du: Dyma lle yr aeth y llong *Leah o Sgotland* i lawr. Aeth y criw i gyd i'r cychod a rhwyfo am y lan. Arhosodd y capten ynddi hyd y diwedd, ond gorfu iddo ef ei gadael pan oedd bron mynd o'r golwg. Yr oedd y criw eisiau iddo ddod gyda hwynt. 'Na,' meddai, 'ewch chwi i'r

Wooden Legs). His legs had been frozen while he was sailing in cold countries. He was very wealthy but I do not know who got his money.

Trwyn Maen Saer: A ship went on this point too – but was able to get away from there. I am sure there are lots of birds on it, because we used to hear the cock crowing loudly in the early morning.

Trwyn Chwith: Here is where we used to catch plenty of crabs and lobsters. Their holes were everywhere but one had to use his left hand to pull them out. And that is why the point got its name.

Y Fuddai: Here is another good place for crabs. It got its name from being in the form of a churn.

Sgers or **Ogof Ladron:** Here was the place where the pirates used to come in to Enlli.

Trwyn y Llanciau: There was a great disaster at this point. Three brothers drowned here together. They were the sons of Tyddyn Mawr, Penllech. The three brothers lived with their sister in Tyddyn Mawr. This was the time that Howel Harris had to hide himself in a cupboard there because his enemies were after him.

One fine day the three brothers went to fish for mackerel to Enlli. When they were near this point a big storm arose suddenly. The boat was thrown against the rock and the three were drowned.

Borth Fadog: Named by some boy from

cychod; dof fi i'r lan rywsut.' Cydiodd yn ei fag dillad a rhoi rhwyf o dan bob cesail, a'i ollwng ei hun i'r môr. Yr oedd y rhwyfau yn ei ddal i fyny'n weddol. Bu agos i'r môr fynd yn drech nag ef, ond llwyddodd i lusgo i'r lan rywsut. Trodd un cwch â'i wyneb yn isaf, ond medrodd y criw lynu wrtho nes cael eu hachub gan gwch Enlli. Ym mysg y criw yr oedd Gwyddel a phan welodd gychod Enlli yn dod atynt, gwaeddodd dros y lle, 'Boat a-hoy, boat a-hoy'. Fe achubwyd pob un ohonynt a'u glanio ym Mhorth Sol'ach. Bu agos i un o gychod Enlli droi hefyd, achos yr oedd yn ddrycin erchyll. Yr oedd brenin Enlli yn un o'r cychod ac yr oedd wedi dychryn yn arw; meddyliodd na fuasai byth yn cyrraedd y lan yn ddiogel. Pan ddaeth y criw i'r lan dychrynodd y Gwyddel yn arw. Gwelodd waliau Cristyn a meddyliodd ein bod yn mynd â hwy i'r carchar.

Ogo'r Gŵr: I'r ogof hon y syrthiodd yr hen gaseg druan a boddi. Nel oedd enw'r gaseg, a Dic oedd enw'r hen ŵr ei pherchennog. Y rheswm am enw'r ogof hon yw bod gŵr a gwraig yn cael ffrae yn aml, ac i gael heddwch, i'r ogof hon y byddai'r gŵr yn mynd i guddio nes byddai tymer y wraig wedi tawelu.

Ogo'r Twrch Fawr: Mae hanes rhyfedd i'r ogof hon. Yr oedd rhyw lanc mewn trwbwl hefo un o enethod yr ynys, a gwnaeth dro gwael â hi. Gyrrwyd am blismon ato, ond dihangodd y llanc a chuddio yn yr ogof hon. Pan aed i chwilio amdano, nid oedd i'w weld yn unman. Ym mhen yr ogof yr oedd twll helaeth ac yr oedd wedi gallu dringo iddo ac ymguddio.

Porthmadog. He came to Enlli with a small boat and landed safely at this point. It was here that Wil Huws found his sack of wheat flour.

Trwyn Dihiryn: Outside this point there is a large stone called Ona's stone. A ship carrying coal was broken into fragments against this point and the island people had enough coal to last for months. Everyone went down the rocks and filled their sacks. It is said that some coal still appears there.

Porth Sol'ach: This is where the fishermen kept their crab creels and boats.

Higol Pwll Du: This is the place where the ship *Leah of Scotland* went down. All the crew went into the boats and rowed towards land. The captain stayed in the boat until the end, but he was forced to leave her when she had sunk practically out of sight. The crew wanted him to come with them. 'No,' he said, 'you go in the boats; I will come ashore somehow.' He grasped his clothes-bag, and put an oar under each arm, and let himself go into the sea. The oars kept him up fairly well. The sea nearly overcame him but he managed to drag himself onto the shore somehow. One boat turned upside down, but the crew were able to hold onto it until they were rescued by the Enlli boat. Amongst the crew there was an Irishman and when he saw the Enlli boat coming towards them, he shouted 'Boat-a-hoy, Boat a-hoy'. Everyone was saved and landed in Porth Sol'ach. One of the Enlli boats nearly turned over as well, because it was a frightful storm. The Enlli king was in one of the boats and he was horribly frightened; he thought

'Does neb yn y fan yma,' ebe'r plismon. 'Ni allai dim ond brân neu wylan ymguddio yn y fan yma.' Ac aeth yn ôl i'r tir mawr. Byddai teulu'r llanc yn cario bwyd iddo a bu yno am ysbaid hir.

Rhywsut, gallodd ddianc oddi yno heb i neb ei weld. Aeth i Lerpwl, ond cafodd ei ddal yn y fan honno, ac meddai wrth y sawl a'i daliodd, 'Wel wir, waeth imi heb â chuddio rhagor, mae'r traed bach wedi dal y traed mawr'.

Cyn diwedd ei oes, daeth yn gapten llong ac aeth i fyw i Awstralia, a phriododd ferch oddi yno.

Trwyn Main: Dyma'r lle am wrachod. Byddem yn dal cannoedd yno bob blwyddyn.

Ogof Tan y Ddaear: Dyma'r ogof hwyaf yn yr ynys. Yr oedd yn mynd ymhell iawn o dan y ddaear. Dywedir ei bod yn cyrraedd o dan aelwyd un o'r ffermydd ac y byddai'r môr-ladron yn cario eu hysbail yno.

Maen Iau: Aeth llawer llong yn ddrylliau ar y maen hwn. Cafwyd hyd i angor fawr yma a chafwyd cryn dipyn o drafferth i'w llusgo oddi yno.

Twll Tan y Ddaear: Math o ogof fechan yw hwn. Mae twll yn ei ben fel simdde a phan fydd y llanw i mewn bydd trochion gwyn fel mwg yn dod i fyny drwyddo.

Maen Melyn: Yr oedd gan Evan Nant long a'i henw oedd *Pesant*. Un mast oedd arni a hwyl wen ar hwnnw. Byddai yn cario llestri pridd a glo i'r ynys. Arhosai y tu allan i Maen Melyn, yna byddai'r cychod yn mynd allan ati i gario'r

he would never reach the shore safely. When the crew got to the shore the Irishman was very alarmed. He saw the walls of Cristyn and thought we were going to put them in prison.

Ogo'r Gŵr: It was in this cave that the poor old mare fell and drowned. The mare's name was Nel, and Dic was the name of the old man who owned her. The reason for the name of this cave is that a husband and wife were having frequent rows, and to find peace, the husband would come to this cave to hide until his wife's temper had cooled down.

Ogo'r Twrch Fawr: There is a strange story about this cave. There was some lad in trouble over one of the girls of the island, and he treated her badly. A policeman was sent for to deal with him, but the lad escaped and hid in this cave. When they came to search for him he was nowhere to be seen. In the far end of the cave there was a large hole, and he had been able to climb up into it and hide.

'There's no-one here,' said the policeman. 'Only a crow or a seagull could hide in this place.' And back he went to the mainland. His family carried food to the lad, and he was there for a long time.

Somehow he escaped from there without anyone seeing him. He went to Liverpool, but he was caught there, and said to those who caught him, 'Well indeed, its not worth me hiding any more, the little feet have caught the big feet'.

Before his time was up he became a ship's captain and went to live in Australia, and married a girl from there.

nwyddau. Bob tro y deuai i'r golwg at yr ynys, dyma be fyddai un hen foi yn ei ddweud bob amser, 'O'r brenin! llong un mast imi bois! *Y Phesant* pia hi bois!'

Bob tro y daethai, byddem yn cael digon o gacennau caled. Sgledan galed a fyddem yn eu galw. Dyna fwyd y morwyr y pryd hynny ac roedd gofyn cael dannedd miniog i'w bwyta. Byddai Siân Tŷ Pella yn rhoddi twll ynddynt, a llinyn drwy hwnnw a'u hongian dan do y gegin 'run fath â'r penwaig.

Ogo'r Nant: Aeth llong yn ddrylliau yn y fan yma hefyd. Llong o'r Werddon oedd; *Prince of Wales* oedd ei henw. Dywedid mai wedi dod â hi yno o fwriad yr oeddynt, iddi gael ei dryllio. Yr oedd yn llong hen ac yn beryg i forio ynddi.

Twll Halen: Yr oedd halen yn brin ac yn ddrud iawn y pryd hynny, ac yr oedd toll arno. Byddai

Trwyn Main: This is the place for 'gwrachod' (wrasse). We used to catch hundreds of them there every year.

Ogof Tan y Ddaear: This is the longest cave on the island. It goes a long way under the ground. It is said to reach under the hearth of one of the farmhouses, and that the pirates used to carry their loot there.

Maen Iau: Many ships were wrecked on this rock. A large anchor was found here, and quite a bit of trouble was had dragging it away.

Twll Tan y Ddaear: This is a kind of a small cave. There is a hole in the top of it like a chimney, and when the tide comes in white foam comes up through it like smoke.

Maen Melyn: Evan Nant had a ship called *Pesant*. She had one mast, and a white sail on it. It used to carry earthenware pots and coal to the island. It would stay outside Maen Melyn, and then the boats would go out to carry the goods. Every time it came within sight of the island one old boy used to say, 'O'r brenin!' (literally 'Oh! the king') 'a one mast ship for me, boys! *The Pheasant* is the one, boys!'

Every time it came we used to get plenty of hard cakes. 'Sgledan galed' we used to call them. This was the sailor's food at that time, and you needed sharp teeth to eat them. Siân Tŷ Pella used to make a hole in them and put a thread through and hang them from the kitchen ceiling, just like the herring.

cychod Enlli yn mynd ar draws y môr yr holl ffordd i'r Werddon i gyrchu halen, a dod ag ef i'r lan yn Nhwll Halen. Yna yn ei guddio mewn twll uchel ar yr allt o afael dŵr y môr a'i orchuddio rhag y glaw. Pan fyddem yn methu â chael halen, byddem yn berwi dŵr y môr mewn bwced ar y tân, ei adael i ferwi'n sych, yna casglu'r halen oedd ar ôl ar waelod y bwced. Maent yn dweud mai ym Mhwll Halen y cafwyd y cerrig i adeiladu'r tŵr neu'r clochdy sydd ar yr ynys.

Ogof Morgan: Dywedir bod yr enwog Gapten Morgan, y môr-leidr, wedi glanio yn y fan yma a chuddio rhai o'i drysorau.

Ogo'r Nant: A ship was wrecked here too. It was a ship from Ireland called the 'Prince of Wales'. It was said that it was brought here purposely to be wrecked. It was an old ship and dangerous to sail in her.

Twll Halen: Salt was scarce and dear at this time, and it was taxed. Enlli boats used to go all the way across the sea to Ireland to fetch salt, and bring it back to the shore at Twll Halen. Then it was hidden in a hole high up in the hill, out of reach of the sea, covered against the rain. When we were unable to get salt, we used to boil sea-water in a bucket over the fire, let it boil dry and then collect the salt from the bottom of the bucket. They say that the stones that were used to build the tower or belfry that is on the island are from Twll Halen.

Ogof Morgan: It is said that the famous Captain Morgan, the pirate, landed in this place and hid some of his treasure.

Pennod VII

Nid oes afonydd yn Enlli, dim ond higolydd o'r ffynhonnau! Mae yno ddigon o ffynhonnau – a dyma rai ohonynt:

Ffynnon Corn: Un o'r rhai pwysicaf yw hon, ac mewn craig y mae. Mae wal gerrig gadarn wedi'i chodi o'i hamgylch. Nid yw dŵr y ffynnon hon byth yn sychu ac mae yn ddŵr oer a phur. Y mynachod a gloddiodd am y ffynnon hon, ac adeiladu'r mur sydd o'i hamgylch.

Ffynnon Uchaf: Nid yw'r dŵr sydd yn hon mor bur â'r dŵr sydd yn Ffynnon Corn. Yr oedd y dŵr ynddi yn sychu yn y tywydd poeth ac y mae yn ddifrifol o boeth yn Enlli yn yr haf; mae croen pawb yn dywyll yno oherwydd yr haul a'r môr.

Ffynnon Barfau: Mae hanes i hon eto. Clywais fy nhaid yn dweud mai yn y ffynnon hon y byddai'r mynachod yn eillio eu pennau. Dylaswn

Chapter VII

There are no streams on Enlli, only trickles from the springs. There are plenty of springs there and these are some of them:

Ffynnon Corn: This is one of the most important and it is in a rock. There is a strong wall built around it. The water in this spring never dries up, and is cold and pure. It was the monks that excavated this spring, and built the wall that is around it.

Ffynnon Uchaf: The water in this spring is not as pure as that in Ffynnon Corn. The water in it used to dry up in hot weather; it is extremely hot on Enlli in the summer; everyone's skin is dark from the sun and sea.

Ffynnon Barfau: There is a story about this one too. I heard my grandfather say that it was at this spring that the monks used to shave their heads. I should say that there are two Ffynnon Barfau on Enlli. They are in the form of a skull. There are holes in the rock above the spring, like shelves, and in these holes the monks used to keep their razors.

Well I must mention the farms, their names and their stories. Here are their names:

Tŷ Bach and Tŷ Nesa	Tŷ Newydd
Nant	Carreg Bach
Cristyn Uchaf	Cristyn Isaf
Tŷ Pella	Rhedynnog Goch
Tŷ Capel	Hen Dŷ

ddweud fod yna ddwy Ffynnon Barfau yn Enlli. Maent ar ddull penglog. Mae tyllau yn y cerrig uwchben y ffynnon fel silffoedd, ac yn y tyllau hyn arferai'r mynachod gadw eu raseli.

Wel, rhaid sôn gair am y ffermydd, eu henwau a'u hanes. Dyma eu henwau:

Tŷ Bach a Tŷ Nesa	Tŷ Newydd
Nant	Carreg Bach
Cristyn Uchaf	Cristyn Isaf
Tŷ Pella	Rhedynnog Goch
Tŷ Capel	Hen Dŷ

Un ffordd sydd yn Enlli, yn cyrraedd o'r Cafn i ben pella'r ynys, hynny yw, o'r de i'r ynys i'r pen draw lle mae'r Abaty. Mae'r ffermydd yn ymledu bob ochr i'r ffordd, o un pen i'r llall, yng nghysgod y mynydd. Tai mawr cryfion sydd i'r ffermydd i gyd, wedi eu hadeiladu â cherrig a waliau mawr uchel o'u hamgylch. Mae'r tai a'r waliau wedi eu gwneud â cherrig o Sir Fôn, a'r palmantau â cherrig crynion o lan môr Aberdaron, wedi cael eu cario drosodd i gyd mewn cychod.

Yr oedd bywyd yn ddifyr dros ben yn Enlli pan oeddwn i'n hogyn – mynd i dai ein gilydd gyda'r nos ac adrodd hen chwedlau a hanesion. Yr oedd yna lyn yn y mynydd lle y byddem ni'r plant yn mynd i chwarae cychod bach – a'n mamau bob amser yn dweud, 'Peidiwch â mynd yn rhy agos i'r dibyn'. Dibyn syth y mynydd i'r môr oeddynt yn ei feddwl.

Yr oedd y ffermydd i gyd yn cadw mochyn neu foch. Morris y Nant fyddai'n modrwyo moch pawb. Yr oedd yn ddull reit greulon hefyd.

Torri twll yn nhrwyn y mochyn â gwniawyd yn gyntaf. Yna rhoi peg ynddo.

Rwyf yn cofio hwyl iawn un tro wrth i Morris fodrwyo moch un fferm. Dihangodd un mochyn mawr i ffwrdd oddi arno, a rhedodd pawb ar ei ôl. Collodd 'rhen Forris ei glocsan wrth redeg.

'Wel diawch i, dyna fi wedi ei gwneud hi,' meddai dan grafu ei ben. 'Hei'r d–l, tyrd yn ôl, saif y fargen yma ddim i Morus,' meddai, beth bynnag yr oedd yn ei feddwl. Byddent i gyd yn rhegi yno nes cael eu gwneud yn flaenoriaid. Yn nhŷ Siân, modryb i mi, byddai pawb yn cneifio'u defaid. Dyna le a fyddai yno, a Siân â phaned o de i bawb.

Mi welais i adeg y byddem yn dal wystrys *(oysters)* yn Enlli. Gwaith caled iawn oedd o hefyd. Yr oedd rhaid crafu o dan y dŵr amdanynt, hefo rhywbeth tebyg i og. Dannedd yn rhwym wrth haearn yn cribo'r gwaelod o dan y dŵr. Mi fûm i yn gwneud hynny lawer gwaith. Nid wyf yn meddwl fod yno wystrys yn awr. Yr

There is only one road on Enlli, reaching from Y Cafn to the far end of the island, that is, from the south of the island to the place where the Abbey is. The farms are spread out along both sides of the road, from one end to the other, in the shadow of the mountain. The farmhouses are big and strong, built with stone and with big strong walls around them. The houses and the walls are made with stone from Anglesey, and the paving with round stones (cobbles) from the shore at Aberdaron, all carried across in boats.

Life was very agreeable on Enlli when I was a boy – going to each others houses in the evening and telling old stories and tales. There was a lake on the mountain where we, as children, used to go and play little boats, and our mothers said every time, 'Don't go near the precipice', thinking of the steep drop from the mountain to the sea.

All the farms kept a pig, or pigs. Morris y Nant used to ring everyone's pigs. It was quite a cruel method too. A hole was punched first in the pig's nose with a sacking needle. Then a peg was put into it.

I remember a lot of fun once with Morris ringing the pigs on one farm. One big pig escaped from him, and everyone ran after it. Old Morris lost his clog while running.

'Well, there, I've had it,' he said, scratching his head. 'Hey you devil, come back. This is no bargain for Morris,' he said, whatever that meant. They all used to swear there until they were appointed deacons. In Siân's house, who was an aunt of mine, everyone used to shear

oedd yno bysgodyn da arall – y cydyn coch. Yr oedd rhaid dal hwn yn ofalus iawn oherwydd bod o amgylch ei geg yn frau ac yn dueddol i dorri hefo'r bachyn. Yn y nos yr oedd y rhain yn cael eu dal, a merched fel rheol a fyddai'n mynd allan mewn cwch rhwyfo ysgafn pan fyddai'r môr yn dawel. Golau o Gristyn a fyddai'n eu harwain i'r lle iawn. Dalient lawer iawn weithiau ac mi ellwch feddwl y sgram a gaem drannoeth!

their sheep. What a place there was, and Siân with a cup of tea for everyone.

I remember the time when we used to catch oysters on Enlli. Very hard work it was too. One had to scratch underneath the water for them, with something rather like a harrow. Iron teeth that combed the bottom under the water. I did this many times. I don't think there are any oysters there now.

There was another good fish there – the red pouch. One had to catch this one very carefully because all around its mouth was very fragile and inclined to break with the hook. These were caught at night, and girls usually would go out in light rowing boats when the sea was calm. The light from Cristyn would lead them to the right place. They used to catch a great many sometimes, and you can imagine the feast we had the next day.

Pennod VIII

Fel y gwyddoch, i deulu Wynne neu'r Newboroughs y perthyn Ynys Enlli. Am wn i mai dyma'r unig fan na raid talu treth tai. Heblaw yr ugain mil o seintiau sydd wedi eu claddu yno, mae yno fedd teuluol yn perthyn i'r Wynniaid. Fel siamber o dan y ddaear ydyw, a grisiau i fynd i lawr iddo. Mae eirch yr ymadawedig wedi eu gosod ar silffoedd. Mae'r feddfan yma yn ymyl yr Abaty. Pan fu farw'r diweddar Arglwydd Newborough, fe'i claddwyd ef gyntaf ym mynwent eglwys Boduan. Ymhen blwyddyn codwyd ef a dod ag ef i'r gladdfa yn Enlli.

Rwyf yn cofio tro doniol iawn. Yr ydych yn

Chapter VIII

As you know, Ynys Enlli belongs to the Wynne, or Newborough, family. As far as I know this is the only place where one does not have to pay rates on the houses. As well as the twenty thousand saints buried there, there also a family grave belonging to the Wynnes. It is an underground chamber with steps going down into it. The coffins of the dead have been placed on shelves. This tomb is near the Abbey. When the late Lord Newborough died, he was buried first in the graveyard at Boduan Church. A year later he was dug up and brought to the burial place on Enlli.

I remember a very funny occasion. You remember me talking about John, the young farmhand, with the tins of meat? Well, here is another story about him. He wanted to see Lord Newborough's coffin. He took a candle, lit it and went down the steps into the vault. When he was beside the coffin, something made an unearthly noise above his head. His hair stood straight upon his head and in his terror, the candle fell from his hand, leaving him in darkness. He ran out for his life and up the stairs. What was there but a meddlesome old sheep, with its head down, bleating 'me-e' all over the place. But John was really terrified; it was enough to scare him too.

Enlli lighthouse is at the southerly point of the island. There are three men looking after it. One is on duty for four hours, one is free for four hours, and one is in bed for four hours. There is a wall around the lighthouse and a wide gate leading to the surrounding yard.

cofio imi sôn am John, y gwas bach, hefo'r tuniau cig? Wel dyma hanes arall amdano. Yr oedd arno eisiau gweld arch Arglwydd Newborough. Cymerodd gannwyll, a'i golau, ac aeth i lawr y grisiau i'r gladdfa. Pan oedd yn ymyl yr arch, dyma rywbeth yn rhoi bloedd annaturiol uwch ei ben. Safodd ei wallt yn syth ar ei ben ac yn ei ddychryn syrthiodd y gannwyll o'i law, gan ei adael yn y tywyllwch. Rhedodd allan am ei fywyd ac i fyny'r grisiau. Beth oedd yno ond hen ddafad fusneslyd a'i phen i lawr yn brefu 'me-e' dros y lle! Ond yr oedd John wedi dychryn yn arw; yr oedd y peth yn ddigon i'w ddychryn hefyd.

Mae goleudy Enlli ar y trwyn deheuol. Mae tri dyn ynddo yn ei wylio. Un yn gwylio am bedair awr, un yn cael pedair awr o hamdden, a'r llall yn ei wely am bedair awr. Mae wal o amgylch y goleudy, a giât lydan yn arwain i'r palmant o'i amgylch.

Rhaid imi ddweud hanes digri am un o'r gwylwyr. Yr oedd yn noson ddistaw niwlog, ac yntau'n eistedd â'i gefn at y ffenest yn darllen. Yn sydyn clywodd sŵn rhyfedd ar y ffenest tu ôl iddo, sŵn na chlywodd mo'i debyg o'r blaen. Trodd i edrych. Cododd ar ei draed mewn braw. Beth oedd y creadur llwyd-ddu yna oedd yn symud yn ôl ac ymlaen hyd wydr y ffenest? Yr oedd fel malwen fawr tua throedfedd o hyd. O'r diwedd cafodd blwc i nesáu at y ffenest i edrych be oedd y trychfil. Beth oedd tu ôl, yn rhwym wrth y falwen, ond bustach mawr du! Tafod y bustach yn llyfu halen oddi ar y gwydr oedd y falwen. Yr oedd y gwyliwr wedi dychryn yn arw, ond chwarddodd pan welodd beth oedd y bwgan.

Rhywun oedd wedi gadael y llidiart ar agor, a'r bustach wedi crwydro i mewn.

I must tell you a funny story about one of the watchmen. It was a quiet foggy night, and he was sitting with his back to the window, reading. Suddenly he heard a strange sound at the window behind him, a sound that he had never heard the like of before. He turned to look. He got to his feet in alarm. What was that grey-black creature that was moving backwards and forwards across the window pane. It was like an enormous slug a foot long. At last, he plucked up courage to go nearer the window to see what this creature was. What was behind, attached to the slug, but a big black bullock! The 'slug' was the bullock's tongue licking salt from the window pane. The watchman had been very frightened but he laughed when he saw what the bogey was. Someone had left the gate open and the bullock had wandered inside.

Pennod IX

Yn un o dai Enlli mae dodrefn yn perthyn i'r Arglwydd Newborough. Maent i fod yno tra pery ef, neu yn hytrach tra parhânt hwy. Heddiw mae'r tŷ wedi ei roi ganddo i Ieuenctid y Groes, a byddant yn mynd yno am wythnosau yn yr haf.

Mae arnaf ofn nad wyf wedi dweud hanes hanner y llongau a aeth yn ddrylliau yn Enlli. Collwyd un cwch wrth ddychwelyd adref i'r ynys. Ar Trwyn Dwm yr aeth i lawr. Yr oedd y criw i gyd ond un wedi meddwi. Daeth plwg y cwch i ffwrdd a rhoddodd yr un sobr owns o faco yn y twll, ond i ddim pwrpas. Boddi a wnaethant i gyd ond ef. Medrodd o, yr un sobr, nofio i'r lan.

Mae Enlli yn foel o goed; nid oes ond un goeden yno – coeden onnen yw yn tyfu tu cefn i Cristyn. Y mae digon o sgrwff yn tyfu yno, gwiail a helyg, yn ogystal â drain mwyar duon. Yr oedd yno ddigon o fwyar duon, a byddai Mam yn gwneud teisen dda ar y radell hefo nhw. Mae'r blodau sydd yno yn debyg i'r rhai sy'n tyfu ar y tir mawr. Fel yr oeddwn yn dweud, mae yno ddigon o wiail, a chyda'r nos yn y gaeaf byddai

Chapter IX

In one of the houses on Enlli there is furniture that belongs to Lord Newborough. It is to remain there as long as he lives, or really as long as they last. Today the house has been given to 'Ieuenctid y Groes' (a youth group) and they go there for weeks in the summer.

I am afraid that I have not told the stories of half the ships that were wrecked on Enlli. One boat was lost returning home to Enlli. It went down at Trwyn Dwm. All the crew except one were drunk. The plug of the boat came out and the one sober man put an ounce of tobacco in the hole, but to no purpose. They all drowned except him. He was able, the sober one, to swim to the shore.

Enlli is bare of trees; there is only one tree there – an ash-tree growing behind Cristyn. There is plenty of scrub growing there, osiers and twigs as well as brambles. There were plenty of blackberries there, and Mam used to make good tarts on the griddle with them. The same flowers grow there as on the mainland. As I was saying, there are plenty of twigs there and on winter evenings everyone would be busy making creels with these sticks. They were round baskets with a hole in the top leading down into the basket like a little passage. Once a crab or lobster went in, it could not come out again. Having made a good catch of crabs and lobsters we used to keep the pots in the water not far from the shore, with weights to keep them there. *Duwc annwyl!* I remember one evening when we had a good catch and they were ready to be carried to the mainland to be sold the next day.

pawb yn brysur yn gwneud cewyll â'r gwiail yma. Cewyll crwn oeddynt, a thwll yn eu pennau yn gwthio i lawr i'r cawell fel llwybr bach. Unwaith yr âi cranc neu gimwch i mewn iddo, fedren nhw ddim dod allan wedyn. Wedi cael helfa dda o grancod a chimychiaid byddem yn cadw'r cewyll yn y dŵr heb fod ymhell oddi wrth y lan, gyda phwysau i'w cadw yno. Duwc annwyl! dwi'n cofio un noson yr oeddym wedi cael helfa dda, ac yr oeddynt yn barod i'w cludo i'r tir mawr i gael eu gwerthu drannoeth. Ond pan aethom i chwilio amdanynt, doedd yno ddim ond lle y buont – y nhw a'r cewyll wedi diflannu. Llong o Ffrainc wedi dod yno yn y nos, a dwyn bob un ohonynt!

Ychydig iawn o Saesneg a fedrai pobl Enlli pan oeddwn i yno yn hogyn. William Williams oedd yn byw yn Cristyn, ac ni fedrai yntau lawer o Saesneg chwaith. Un dydd yr oedd yn cael sgwrs hefo un o wylwyr y goleudy, a hwnnw'n Sais.

'Can you tell me something about this chapel, William Williams?' gofynnai'r Sais.

'O yes,' ebe William Williams. 'Tad fy nhad, grandfather to me cododd this chapel, and rŵan, there is gwellt glas wedi tyfu round the chapel you know.' Ond yr oeddynt yn deall ei gilydd yn iawn.

But when we went to look for them, there was nothing there – they and the pots had gone. A French ship had come there during the night and stolen every one!

The Enlli people could speak only a very little English when I was there as a boy. William Williams lived in Cristyn, and he could not speak much English either. One day one of the men from the lighthouse, an Englishman, was having a chat with him.

'Can you tell me anything about this chapel, William Williams?' asked the Englishman.

'Oh yes,' said William Williams. 'Tad fy nhad, grandfather to me cododd this chapel, and rŵan, there is gwellt glas wedi tyfu round the chapel you know.' But they understood each other very well.

Pennod X

Yn y flwyddyn 1914, ar fore distaw braf, gydag
ychydig o niwl yn y môr – bore'r Pasg oedd hi
rwy'n cofio'n iawn – daeth llong hwyliau fawr i'r
lan ym mhorth Tŷ Mawr, yn y tir mawr. Ar ei
ffordd o Lerpwl i Awstralia yr oedd. Yr oedd yn
llawn o lwyth cymysg – diodydd (rym a wisgi),
llestri o bob math, pianos, canhwyllau, matsys, a
phob math o bethau. Bu yn gyfa yno am amser,
ond methodd â mynd i ffwrdd ac aeth yn
ddrylliau a chwalwyd ei llwyth i bobman hyd y
creigiau. Dyna feddwi a fu yno! Yr oedd cotwm
ynddi hefyd, a hyn oeddwn am ei ddweud:
gwelsom belen fawr yn nofio at y lan i Enlli. Yn
eistedd ar ei phen yr oedd llygoden fawr, wedi
gwneud twll fel nyth ynddi, ac yr oedd yn
berffaith sych a diogel ond fe'i lladdwyd gan un
o'r hogiau. Mi fu yn Enlli unwaith gannoedd o
lygod mawr yng nghreigiau'r môr ond daeth
storm fawr un nos a'u boddi i gyd.

Fel y gwyddoch, mae un ochr i'r mynydd yn
disgyn yn syth i'r creigiau a'r môr. Mae'n lle
peryg iawn i fynd yn agos i'r dibyn. Rwy'n cofio
am golled fawr a gafodd un ffermwr. Yr oedd

Chapter X

In the year 1914, on a fine quiet morning, with a slight mist on the sea – it was Easter morning I remember well – a big sailing ship went aground in Tŷ Mawr bay, on the mainland. She was on the way from Liverpool to Australia and carried a mixed cargo – spirits (rum and whiskey), all kinds of crockery, pianos, candles, matches and all sorts of things. It stayed there, undamaged, for a few days, but they failed to refloat it, and it was wrecked, and its cargo was scattered everywhere along the rocks. What drinking there was afterwards! There was cotton in it too, and this is what I was about to say: we saw a big bale sailing ashore at Enlli. Sitting on top of it was a large rat, which had made a hole like a nest in it, where it was perfectly safe and dry. But it was killed by one of the boys. There were once on Enlli hundreds of rats in the rocks by the sea, but a great storm came one night and drowned them all.

As you know, one side of the mountain falls straight to the rocks and the sea. It is a very dangerous place to go near the precipice. I remember a great loss that one farmer had. He had three horses grazing on the mountain; somehow the three ran towards the precipice and fell into the sea and drowned. Everyone sympathized with him very much. A committee was formed, and it was decided that a collection of money would be made for him. The minister undertook to go and collect on the mainland, and he got a good sum of money for the poor farmer.

One of the lighthouse men fell down this precipice too; he fell down onto the rocks. He

ganddo dri cheffyl yn pori ar y mynydd; rhywsut rhedodd y tri at y dibyn a syrthio i'r môr a boddi. Yr oedd pawb yn cydymdeimlo ag ef yn fawr. Codwyd pwyllgor, a phenderfynwyd mynd i gasglu arian iddo. Cymerodd y gweinidog y gorchwyl o fynd i gasglu i'r tir mawr a chafodd swm da o arian i'r ffermwr druan.

Cwympodd un o wylwyr y goleudy dros y dibyn yma hefyd; syrthiodd i lawr i'r creigiau. Hela yr oedd ac aeth yn rhy agos i'r dibyn. Yr oedd yn fyw pan gafwyd ef. Aed ag ef i Gaergybi, ond marw a wnaeth mewn tridiau.

Yr oedd yn arferiad gan bobl Enlli wneud canhwyllau brwyn a chanhwyllau gwêr. I wneud y gannwyll frwyn – yr oedd digon o frwyn yn tyfu yno – yr oedd rhaid plicio'r croen gwyrdd i ffwrdd i gyd ond un llinell fain i ddal y cnewyllyn gwyn a ddeuai i'r golwg. Merched fel rheol a fyddai'n gwneud hyn; yr oedd eu dwylo yn ysgafnach. Byddent yn trochi'r cnewyllyn mewn saim neu olew. Y ganhwyllbren fyddai potel neu rhywbeth i'w dal. Yr oedd gan rai rywbeth fel gefail i'r pwrpas. Dyma sut yr oeddynt yn gwneud canhwyllau gwêr. Rhwymo llinyn main wrth haearn tebyg i brocer. Byddent yn rhwymo rhyw chwe channwyll. Yna eu trochi i mewn i saim neu wêr berwedig a oedd mewn bwced uwchben y tân. Eu trochi i mewn, yna eu codi allan am ychydig i'r gwêr ferwi a'u trochi i mewn drachefn a thrachefn nes y byddai'r gannwyll yn ddigon tew. Hen ganhwyllau digon budr oeddynt hefyd, a byddai rhaid torri pen y gannwyll yn aml hefo siswrn.

was hunting and went too near the precipice. He was alive when they got him. He was taken to Holyhead but he died three days later.

The people of Enlli used to make rush candles and tallow candles. To make rush candles – there were plenty of rushes growing there – one had to peel off all the green skin except one thin line to hold the white pith that appeared. As a rule it was the women who used to do this; their hands were lighter. The pith was dipped in fat or oil. A bottle, or something similar, would be used as a candlestick. Some people had something like pincers for this purpose. This is how they made tallow candles. Thin linen threads were tied to poker-like iron. They would tie about six candles. Then they would dip them into boiling fat or tallow which was in a bucket above the fire. Dip them in, then lift them out for a bit for the tallow to boil, and then dip them again and again until the candles were thick enough. They were dirty old candles too, and one used to have to cut the top of the wick often with scissors.

Pennod XI

Duwc annwyl! dwi ddim wedi sôn am y gath fôr
wrthych, pysgodyn anferth o fawr. Rwyf yn cofio
inni ddal un naw troedfedd o un aden i'r llall –
digon mawr i droi'r cwch os na fyddem yn
ofalus. Hefo lein 'long lein' y byddem yn eu dal.
Gosod bachau mawr cryfion arni a'i bwrw i'r
môr yn ymyl y lan. O dan adain y gath fôr y mae
gemau â bachau ynddynt a'r rhain a fyddai'n
mynd yn rhwym yn y lein, heblaw y bachyn a
fyddai'n mynd i'w cheg. Mae ganddi geg fawr a
dannedd cryfion. Rhaid oedd troi y gath fôr ar
wastad ei chefn cyn y medrid ei dal, neu fe
blannai ei phen yn dynn i lawr. Rwy'n cofio imi
syrthio ar wastad fy nghefn o dan un. Wedi troi y
gath fôr, rhaid oedd plannu ein bysedd i ddau
dwll ar ochr ei phen a rhuthro i'w thrwyn hefo'n
dannedd tra byddai pysgotwr arall yn ei
thrywanu.

Dim ond yr adain a fyddem yn ei fwyta, a
bwyd da oedd hefyd, cig gwyn blasus. *Skate* yw
enw'r gath fôr yn Saesneg. Rwy'n cofio un gath
fôr yn torri bachyn y cwch yn glir i ffwrdd â'i
dannedd; wn i ddim a ddaru ei lyncu ai peidio –

Chapter XI

Duwc annwyl! I haven't told you about the skates, enormous big fish. I remember us catching one nine feet from one 'wing' to the other – big enough to capsize the boat if we were not careful. With a line, a 'long line' we used to catch them. Big strong hooks were fixed on it and it was cast into the sea, close to the shore. Underneath the wing fin of the skate there are scales with hooks in them, and these would get tangled in the line – in addition to the hook that went in his mouth. They have big mouths and strong teeth. One had to turn the skate flat on its back before one was able to catch it, or it would push the head hard down. I can remember falling flat on my back under one. Having turned over the skate we had to push our fingers into two holes at the side of its head, and then quickly bite hard on its nose while another fisherman would stab it.

We only ate the fins, and very good food it was too, tasty white meat. I remember one skate breaking a boat hook right off with his teeth; I don't know whether he swallowed it or not – we saw nothing more of him after. It was a hook belonging to old king Nol too, and we threw the shaft into the sea.

'Have any of you seen my hook, boys? I can't find it anywhere,' he inquired. But he didn't get an answer from us.

I remember three kings in Enlli. The first was John Williams, Cristyn. He was crowned with great pomp and honour. A warship came there with important men in it. All the people of Enlli gathered together, and John Williams knelt

welsom ni mohono wedyn. Bachyn 'rhen frenin Nol oedd o hefyd, ac fe ddaru ni daflu'r coesyn i'r môr.

'Welodd rhai ohonoch fy machyn i, hogiau? Fedra' i ddim cael hyd iddo yn unman,' holai. Ond chafodd o ddim atebiad gennym ni.

Rwyf yn cofio tri brenin yn Enlli. Y cyntaf oedd John Williams, Cristyn. Cafodd ef ei goroni gyda phomp ac anrhydedd mawr. Daeth llong ryfel yno, a dynion pwysig ynddi. Casglodd pobl yr ynys i gyd at ei gilydd, a John Williams yn penlinio yn y canol. Yna daliodd y pennaeth gleddyf uwch ei ben gan ddywedyd, 'John Williams, yr wyf yn dy goroni yn Frenin Enlli, i lywodraethu'n union a chyfiawn'. Yna rhoddodd goron felen hardd ar ei ben – wn i ddim a oedd yn aur ai peidio. Uwchben Ogof Gunan y bu'r coroni. Yna cafodd gwch mawr cryf gan gwmni'r Trinity, a fo fyddai'n gofalu am nwyddau i'r goleudy. Byddai'n rhaid iddo fynd i Gaergybi yn aml. Ei ddiwedd oedd boddi drwy ddamwain, syrthio o'r cwch heb fod ymhell o'r lan. Trychineb mawr i'w wraig oedd hyn. Y diwrnod cynt ganed ei unig fab.

John Williams oedd enw'r mab hefyd, a phan dyfodd i fyny, yr oedd ef yn dod i le ei dad i fod yn frenin. Nid oes llawer o hanes gwerth ei ddweud amdano ef. Galwyd ef i'r tir mawr, ac yno y bu farw. Yr oedd ganddo dair mil o bunnoedd yn gadael Enlli, ond bu farw'n dlawd ac ni wŷr neb i ble'r aeth yr arian.

Yr oedd Enlli heb frenin yn awr. Un dydd dywedodd Love, 'Yr wyf fi am fod yn frenin yn awr'. Gwahoddodd bawb i ddod ar y llecyn gwastad gwyrdd sydd uwchben y Cafn, ac fe'i cyhoeddodd ei hun yn frenin. Yn y tir mawr y bu

yntau farw hefyd. Mae'r goron ym mhlasty
Boduan heddiw.

down in the centre. Then the chief held a sword over his head, saying, 'John Williams, I crown you King of Enlli, to govern justly and righteously'. Then a beautiful yellow crown was placed on his head – I don't know whether it was gold or not. The crowning took place above Ogof Gunan. Then he was given a big strong boat from the Trinity company, and he would be responsible for goods for the lighthouse. He had to go to Holyhead often. His end was through drowning in an accident, falling from his boat when it was not far from the shore. This was a great calamity for his wife. The day previously their only son had been born.

John Williams was the son's name too, and when he was grown up he took the place of his father to become king. There is not much news worth telling about him. He was called to the mainland, and that is where he died. He had £3,000 on leaving Enlli but he died in poverty and no one knows where the money went.

Enlli had no king now. One day Love (Love Prichard) said, 'I am going to be king now'. He invited everyone to come to the level green place that is above Y Cafn, and he announced himself as king. He also died on the mainland. The crown is in the mansion of Boduan today.

Pennod XII

Mae yn Enlli gapel ac ysgol, y naill a'r llall erbyn heddiw wedi eu cau. Pan oeddwn i'n hogyn yno, âi pawb i'r capel ar y Sul. Byddai yno weinidog bob amser. William Jones oedd y gweinidog pan oeddwn i yno. Dyn bychan duwiol oedd. Yr oedd ganddo deulu mawr – naw o blant – ac mae rhai ohonynt yn byw yn y tir mawr heddiw. Y mae pulpud hardd yn y capel wedi ei gerfio mewn pren gwerthfawr, anrheg o wlad yr Aifft rwyf yn meddwl. Gorfu iddynt godi'r capel o amgylch y pulpud.

Yr wyf yn cofio amryw o weinidogion yn Enlli. Dyma ichwi un hanes digri. Pan fyddai cyrddau yn y capeli yn y tir mawr, âi pawb iddynt, mewn cychod, o Enlli yn eu dillad gorau. Pan ddôi cychod Enlli i Aberdaron yr oeddynt yn rhy fawr i ddod yn hollol i'r lan, a byddai'n rhaid i'r morwyr gario'r teithwyr i'r lan. Un tro, wrth gario gwraig y gweinidog i'r lan – a duwc annwyl un grand oedd hi hefyd – baglodd y morwr ac i lawr i'r dŵr y syrthiodd y ddau! Yr oeddynt yn

Chapter XII

There is a chapel and a school on Enlli, both closed by today. When I was a boy there, everyone went to chapel on Sunday. There was always a minister there. William Jones was the minister when I was there. He was a pious little man. He had a big family – nine children – and some of them live on the mainland today. There is a handsome pulpit in the chapel, carved in a valuable wood, a present from Egypt, I think. They had to build the chapel around the pulpit.

I remember several ministers on Enlli. Here is one funny story for you. When there were special meetings in the chapels on the mainland, everyone went to them in boats, from Enlli, in their best clothes. When the Enlli boats arrived in Aberdaron, they were too big to come completely to the shore, and the sailors had to carry the passengers to the shore. Once, while carrying the minister's wife ashore – and, *duwc annwyl*, she was a grand one too – the sailor stumbled and down into the water they both fell! They were as wet as fishes when they reached the shore. The minister's wife was so wild with fury that she would almost have beaten the poor sailor, who was as wet as herself. Someone stepped into the breach, as they say and she was given dry clothes in one of the houses, until her own clothes were dry.

People think that there are no snakes on Enlli, but this is not altogether true. In one half of the island there are snakes, but not a single one in the other half, and this is the half where the monastery is. Some say that earth carried over from Ireland is in this part.

wlyb fel pysgod pan ddaethant i'r lan. Yr oedd gwraig y pregethwr wedi gwylltio'n gandryll, a bron na buasai yn curo'r morwr druan a oedd mor wlyb â hithau. Daeth rhywun i'r adwy, fel y dywedir, a chafodd ddillad sych yn un o'r tai tra bu ei dillad hi yn sychu.

Mae pobl yn meddwl nad oes nadroedd yn Enlli, ond nid yw hynny'n hollol wir. Yn un hanner i'r ynys y mae nadroedd, ac nid oes yr un yn yr hanner arall, a'r hanner hwnnw yw'r fan lle mae'r fynachlog. Dywed rhai mai pridd wedi ei gario o'r Werddon sydd yn y fan honno.

Clywais fy nhad yn dweud lawer gwaith am yr Eisteddfod fawr a fu yn Enlli unwaith, am yr hwyl a'r berw a oedd yno. Yr oedd y môr o amgylch yr ynys yn frith gan longau, wedi dod yno o Gaernarfon a phob man. Yn arwain yr Eisteddfod yr oedd Mynyddog, Hwfa Môn ac amryw o bobl enwog eraill. Heblaw yr Eisteddfod, yr oedd yno bob math o bethau eraill. Yr oedd fel ffair fawr yno, byrddau India-roc a phob rhyw 'nialwch arall. Ond y peth rhyfeddaf a ddaeth yno oedd hyrdi-gyrdi, yn cael ei chwarae gan ddau Eidalwr. Yr oedd ganddynt ddau fwnci bychan wedi eu gwisgo mewn dillad cochion, a chapiau cochion am eu pennau, ac yr oeddynt yn estyn ffortiwn i'r bobl am geiniog. Yr oedd llawer o hen ferched yn Enlli y pryd hynny nad oeddynt erioed wedi bod allan o'r ynys, nac wedi gweld Eidalwr na mwnci o'r blaen. Yr oedd yno ddwy chwaer â'u hwynebau bron cyn dued â'r Eidalwyr – achos yr oedd sebon yn brin iawn yno yr amser hwnnw. Pan welsant y dynion melyn, dyma un yn dweud wrth y llall, 'Welaist ti ddynion mor hyll erioed dywed?'

'Taw a sôn,' meddai ei chwaer, 'welaist ti rywun cyn hylled â'u plant nhw?' Y ddau fwnci bach oeddynt yn ei feddwl!

Wel wir, rydw i'n meddwl fy mod wedi dweud fy hanes i gyd. Hy! yr ydych yn gofyn pam na fuaswn wedi priodi. Duwc annwyl! fy ngeneth fach i, dwi'n dal i chwilio am wraig o hyd!

I often heard my father tell of a big Eisteddfod that was held on Enlli once, and about all the fun and turmoil that was there. The sea around the island was dotted with ships, having come from Caernarfon and everywhere. Directing the Eisteddfod was Mynyddog, Hwfa Môn and several other famous people. In addition to the Eisteddfod there were all kinds of other things. It was like a big fair there – tables of 'India Rock' and all kinds of other worthless wonders. But the strangest thing that once came there was a hurdy-gurdy, played by two Italians. They had two little monkeys dressed in red coats, and red caps on their heads, and they would hand fortunes to people for a penny. There were many spinsters on Enlli at this time who had never been away from the island, nor seen an Italian, nor a monkey, ever before. There were two sisters with faces almost as dark as the Italians – because soap was very scarce there then. When they saw the yellow men, one said to the other, 'Tell me, did you ever see such ugly men before?'

'Don't mention that,' said her sister, 'did you ever see anything as ugly as their children?' She was thinking of the two little monkeys!

Well, indeed, I think I have told you all my tale. Huh! you will be asking me why I never got married. *Duwc annwyl!* my dear girl, I am still searching for a wife!